KU-344-223

Bouche d'ombre

Du même auteur
dans la même collection

La vie n'est pas une punition (n° 224)
À trop courber l'échine (n° 280)
Du bruit sous le silence (n° 312)
Une pieuvre dans la tête (n° 363)
On y va tout droit (n° 382)

dans la collection Rivages/Thriller

Mourir n'est peut-être pas la pire des choses

chez d'autres éditeurs

Ça y est, j'ai craqué, Seuil Point Virgule
Les Pis rennais, Le Poulpe, Baleine et Librio
De quoi tenir dix jours, Librio

Pascal Dessaint

Bouche d'ombre

Collection dirigée par
François Guérif

Rivages/noir

106, bd Saint-Germain – 75006 Paris

ISBN : 2-7436-0121-3
ISSN : 0764-7786

La compensation d’avoir tant souffert c’est qu’ensuite on meurt comme des chiens.

Cesare Pavese

pour Francine, ma sœur

à Frédérique Baritaud, Philippe Losego et Christian Pinquier

Je tiens ici à exprimer toute ma gratitude à mon vieil ami Philippe Langlois pour ses conseils toujours précieux, ainsi qu'au Centre régional des Lettres Midi-Pyrénées qui m'a apporté son soutien au cours de la rédaction de ce roman.

Prologue

Elvire collait au pare-brise et je me gardais bien de poser ma main sur sa cuisse. Elle était entièrement à sa conduite et je pouvais sentir la tension dans ses maxillaires, observer à loisir les cernes sous ses yeux, le renflement de son ventre qu'elle ne cherchait plus à dissimuler. Elvire était peut-être déjà fixée sur le sexe de l'enfant mais cela m'importait peu, et puis elle m'en parlerait lorsqu'elle en aurait envie, il suffisait aussi que je lui demande de quoi il retournait pour qu'elle joue aux devinettes, et je ne me sentais pas d'humeur, les circonstances ne me semblaient pas non plus favoriser les confidences.

Nous n'aurions pas été autrement surpris si de la suie s'était mise à dégouliner sur les vitres. Il n'était pas quatre heures de l'après-midi et, pourtant, on se serait cru au plus noir de la nuit, j'exagère à peine. On aurait dit que les essuie-glaces allaient se tordre, adopter des formes improbables, que les trombes d'eau enfin, toujours plus violentes, les pulvériseraient.

– Pas possible un temps comme ça, un jour pareil.

– Peut-être que Daniel nous joue ce vilain tour.
– Daniel est mort, Simon.
– C'est bien ce que je dis, je crois à l'enfer, tu le sais bien...
– Arrête, tu me donnes le frisson.
– Elvire ?
– Quoi ?
– Rien, rien...

Son regard quittait la route pour se porter de plus en plus souvent sur le rétroviseur. Même si par moments la pluie empêchait de voir à plus de cinq mètres, j'avais remarqué, pour bien connaître le quartier, que nous étions déjà passés au moins trois fois au même endroit. Elvire tournait en rond. J'essayai de surprendre quelque inquiétude en elle. Or ses mains sur le volant ne manifestaient aucune nervosité apparente, elles se raidirent imperceptiblement lorsqu'elle se mit à griller feu sur feu et à accélérer l'allure malgré le manque de visibilité.

– On nous suit, Simon.

Je me retournai. C'était une petite cylindrée, mais pour la marque, je n'aurais su dire. Elle était passée au rouge, elle aussi. Ses phares éblouissaient la vitre arrière et révélaient les parcours capricieux de la pluie qui y ruisselait. Je demandai à Elvire de ralentir, de tourner à droite puis à gauche.

Je n'étais pas étonné, il y avait de bonnes raisons pour qu'on nous suive, j'en connaissais au moins une, qui en valait des centaines. Cependant, je ne pensais pas que cela arriverait si vite. Je dis à Elvire de continuer à rouler comme si de rien n'était et, au bout d'une dizaine de minutes, elle se gara devant l'étude de maître Douard.

– Ne t'inquiète pas, Elvire, je n'ai pas l'impression qu'on risque grand-chose, elle s'est garée juste derrière nous... une femme... elle se rend également chez le notaire...

Sans lui laisser le temps de répondre, je sortis de la voiture. J'allai lui ouvrir la portière et l'aidai à descendre. Elle se blottit contre moi et je la protégeai de la pluie en refermant mon imperméable autour d'elle.

– Mademoiselle Elvire Lestrade et monsieur Simon Chanfreau, n'est-ce pas ?

La secrétaire nous invita à nous débarrasser de nos vêtements mouillés, puis elle tendit à chacun une serviette afin que nous séchions nos cheveux.

– Maître Douard vous attend, mademoiselle Julia Rosso vient d'arriver, si vous voulez bien me suivre...

La secrétaire nous introduisit dans le bureau puis s'effaça sur la pointe des pieds. Aussitôt, maître Douard se leva.

Je lui aurais donné quarante ans mais peut-être en avait-il deux ou trois de moins. Il était vêtu d'un costume trois-pièces de couleur bleu pétrole, d'une chemise et d'un nœud-pape assortis. Il me gratifia d'une poigne distraite puis s'empara des mains d'Elvire, j'observai qu'il les pressait avec délicatesse et que ce geste était pour lui plus éloquent qu'une longue embrassade. Il finit malgré tout par s'exprimer selon les conventions.

– Veuillez accepter, Elvire, toutes mes sincères condoléances, je suis vraiment désolé...

– Ce qui est fait est fait, Maître.

– Oui, j'en conviens...

Il parut soulagé de je ne sais quel poids puis, après avoir satisfait entièrement au rite de l'accueil, c'est-à-dire lorsque nous fûmes assis, Elvire et moi, il refit le tour de son bureau. Il prit ensuite le temps de consulter deux pages d'un dossier qui s'y trouvait ouvert avant de se rasseoir.

L'inconnue se tenait à ma droite. D'un rapide coup d'œil, je la dévisageai. Impassible, elle fixait le notaire, son regard n'exprimait rien, ni douleur ni angoisse. Elle se tenait bien droite, les mains posées sur ses cuisses. Elle était habillée simplement, sans chichi, comme un garçon, par certains côtés on eût dit d'ailleurs un garçon, un pull-over gris la moulait comme une seconde peau et si Julia Rosso avait des seins, elle les dissimulait bien.

– Vous connaissez Julia Rosso, j'imagine.

– Je n'ai pas cet honneur...

Elvire avait parlé en chevrotant, et si ce tremblement dans sa voix paraissait naturel et légitime dans la situation présente, j'y décelai néanmoins un accès de jalousie, une jalousie instinctive, cruelle. Quant à moi, je hochai la tête, et je devais la hocher bien souvent au cours de la discussion, du moins de l'exposé qu'entreprit de nous faire aussitôt le notaire, ce qui n'était pas manifestement pour le réjouir.

– Elvire, votre frère est décédé dans des circonstances pour le moins troublantes...

– Je le sais, Maître, aux faits, s'il vous plaît...

– Si je vous le rappelle, c'est parce que votre frère, Daniel Lestrade, est venu me voir la veille de sa mort pour apporter quelques modifications à son testament...

Les mains d'Elvire se contractèrent sur ses genoux. Mentalement, j'essayai de lui envoyer des messages, qu'elle tienne le choc, je lui avais répété et répété qu'on pouvait s'attendre à tout de Daniel, au pire, je connaissais bien son esprit tordu, je ne croyais pas à l'enfer pour des prunes.

– Maître, s'il vous plaît, je sais que votre métier exige que vous déployiez une délicatesse toute particulière en de tels moments, mais je vous en prie, je ne me sens pas les nerfs assez solides pour...

– Ce que j'ai à vous dire risque de vous bouleverser et...

Il suspendit sa phrase en portant son attention sur le ventre rond d'Elvire, comme s'il y cherchait une confirmation. Ça ne dura qu'une fraction de seconde mais à la façon dont il détourna vivement son regard, on aurait pu croire qu'un long moment s'était écoulé, du moins qu'il s'y était attaché trop longtemps, et que ses yeux du coup le brûlaient.

– Sachez, Elvire, que j'ai fait tout ce qui était en mon pouvoir pour l'en dissuader...

– Je me doute, Maître...

– Bien, Daniel Lestrade, pour que vous touchiez l'héritage, exige que... vous soyez sans descendance...

Je me tournai vers Elvire. Elle demeurait sans réaction, abattue et comme résignée. De toute façon, ainsi qu'elle me l'avait signifié, les dés étaient jetés, il était trop tard pour l'avortement, ce gosse verrait le monde, ce putain de monde, à moins d'un malencontreux accident...

– Cependant, si tel était le cas... la fortune de votre frère serait bloquée jusqu'à la majorité de l'enfant, ce qui implique qu'il serait l'unique héritier, à lui de juger ensuite, et je reprends les termes mêmes de Daniel Lestrade, à lui de juger donc si sa mère serait alors digne de confiance et d'apprécier la somme qui lui serait due...

J'étais à un mètre d'Elvire mais je l'entendais maintenant grincer des dents. Je pensai que même le notaire devait l'entendre. Un peu comme pour un tremblement de terre, j'évaluai ce grincement à une magnitude de 6,2 sur l'échelle de Richter...

– Daniel Lestrade, reprit maître Douard, m'a donné tout pouvoir pour gérer cette fortune en ce cas, c'est-à-dire pendant dix-huit ans... si Dieu me prête vie aussi longtemps. Bien sûr, si pour... si vous deviez décéder, je deviendrais son tuteur jusqu'à sa majorité... A contrario, si l'enfant devait disparaître avant sa majorité, la fortune de votre frère serait partagée entre différentes œuvres humanitaires dont j'ai ici la liste...

Ironie, bon Dieu...

– À combien s'élève la fortune de mon frère ?

– À un peu plus de deux millions de francs, non compris les biens immeubles dont je suis en train de faire une estimation... À ce titre, sachez tout de même que si toute vente vous est interdite, vous pouvez néanmoins tirer de ces immeubles, par la location, un revenu substantiel.

– Deux millions de francs, répéta Elvire, sans que semblât percer dans sa voix la moindre rancœur.

– C'est une belle somme, oui.

– Et si...

– ... vous ne mettiez pas d'enfant au monde ?... Eh bien, vous seriez riche, Elvire, très riche...

Je regardai Julia Rosso et ses yeux qui s'embuaient de larmes, elle n'avait pas changé de position mais on la sentait prête à exploser d'un moment à l'autre.

– Mais le plus incongru est à venir, précisa le notaire, et je ne sais comment vous annoncer les choses...

– Cessez de tourner autour du pot, Maître...

– Bien, sachez que j'ai pris, non sans mal, toutes les dispositions nécessaires pour accéder aux dernières volontés du défunt, je dois avouer que l'on m'aurait dit qu'une telle idée pouvait germer dans l'esprit d'un homme que je ne l'aurais pas cru, d'un point de vue métaphysique je comprends l'image mais...

– MAÎTRE !

– Oui... Daniel Lestrade désire que ses cendres soient partagées entre vous... et que vous les dispersiez, je le cite : au lieu de votre meilleur souvenir commun...

Ironie, bon Dieu, ironie, je n'avais pas dit un mot mais j'en étais presque à perdre le souffle.

– Nous ? gémit Elvire.

– Vous, Elvire Lestrade, sa sœur, Simon Chanfreau, son chauffeur, et Mademoiselle ici présente, Julia Rosso...

– Je n'ai pas l'honneur de connaître cette fille !

Julia Rosso se leva alors, lui fit face et éclata en sanglots. Moi, je venais de comprendre alors qu'Elvire avait besoin qu'on lui mette les points sur les i. Elle foudroya la jeune femme qui balbutia quelques paroles, elle en dit plus qu'il ne fallait, elle répétait sans cesse la même chose. Julia Rosso était la maîtresse de Daniel Lestrade.

1

Julia

« Je l'ai aimé comme une sœur, j'aurais même pu être sa mère, à la seule différence qu'il s'est délassé souvent entre mes jambes sans que j'en ressente une quelconque amertume, et cela en dépit du désespoir qui le tenait au ventre. Le mien était tellement ouvert certains soirs que je nourrissais l'espoir, dans l'orgasme, de l'y engloutir entièrement, corps et âme, dans un spasme d'une fulgurante rage. Quelquefois encore je l'imagine se débattre au-delà de ce qu'il appelait ma fente, sans vulgarité aucune, avec un soupçon d'inquiétude, comme si tout pour lui devait se jouer là... Je me suis composée en lui, il s'est dispersé en moi. »

Non, ça ne rime à rien. Ce n'est pas en couchant sur le papier ces inepties qu'il me reviendra. Et puis à quoi bon maquiller la vérité. Daniel n'a jamais eu droit à ma fente.

Je me souviens de notre première fois, je lui ai demandé d'ouvrir le tiroir de la table de chevet. Il s'attendait sûrement à y trouver des préservatifs. Il a regardé le tube de vaseline sans comprendre. Je lui ai dit que c'était ce que j'aimais, que j'étais l'exemple peut-être unique d'une déviance très subtile, que je me demandais encore pourquoi je n'étais pas née avec un sexe masculin entre les jambes...

Un long moment, il a observé le tube. Je pensais qu'il ne se déciderait jamais à l'ouvrir. Il ne disait pas un mot.

– Tu n'as jamais remarqué qu'il n'y a pas grand-chose de féminin en moi ?...

Et pour cause, mes hanches sont peu marquées et je suis plate comme une planche à pain. Je n'ai jamais porté les cheveux longs, ni de bijoux d'aucune sorte. Je suis brune et mon visage anguleux manque de finesse. Comme peu de filles, je ne me suis jamais rasé les jambes. Si un jour je me sers d'un rasoir, ce sera pour que me poussent barbe et moustaches ! J'ai toujours fonctionné comme un garçon et je crois que je le suis devenue, seule la nature de mon sexe trahit ma féminité...

J'ai rompu avec ma mère pour ces raisons, bien qu'en fait il n'y en ait qu'une. Elle n'a pas su me comprendre. Je m'en suis ouverte à elle et ce fut comme si je lui avais annoncé que j'étais une gouine ! Pis même... Non mais, de quoi je me mêle ?

C'était peu après le décès de son mari, mon beau-père. Cet homme m'étouffait sous son affection et je n'ai pas honte de dire qu'il m'entreprit souvent, et que ses avances n'avaient rien d'innocentes. À sa mort, au désespoir de ma mère, il me légua plus qu'à elle. Un beau pactole, que j'ai aussitôt investi dans des appartements de rapport.

À trente-quatre ans, je vis ainsi de mes rentes. C'est dans une agence immobilière que j'ai fait la connaissance de Daniel. Trois semaines plus tard, Daniel était assis nu, au bord de mon lit, un tube de vaseline dans les mains.

– Ça te déçoit, hein ? Ne m'as-tu pas avoué que j'avais un corps splendide, que tu en appréciais l'incertitude ?

Je me glissai tout contre lui et m'emparai du tube. Je suis certaine qu'il aurait pu le tenir comme ça toute la nuit. Ça ne m'aurait nullement dérangée si je n'avais eu d'autres projets.

Je n'ai pas brusqué les choses. Je l'ai caressé, enduit de vaseline. Puis je l'ai guidé, j'avais tout à lui apprendre, à croire qu'il n'avait jamais fait l'amour. Mais lorsqu'il fut en moi, je ne sais pas trop ce qui s'est passé dans sa tête, il a commencé à aller et venir brutalement, j'ai pensé alors qu'il tournait fou, qu'il en était à se venger de son pire ennemi. Quand il eut fini, j'étais épuisée et le rectum me brûlait. Il s'est rhabillé puis il est parti, sans même prendre une douche, sans me remercier.

Il m'est arrivé un truc rigolo aujourd'hui. Dans la rue, j'ai accosté un gars pour lui demander du feu. Je n'avais pas achevé ma phrase qu'il déboutonnait son jean en souriant. Dans la seconde, je me suis dit que j'étais tombée sur un malade (le quartier où je vis en regorge), qu'il allait me sortir son machin, mais non, il a ramené simplement un briquet à la surface et puis il s'est reboutonné. Mon visage exprimait certainement un profond étonnement car il a répondu aussitôt à la question que, de crainte qu'il me croie réceptive à son humour, je m'empêchais de lui poser. Il m'a appris ainsi que c'était son psy qui lui avait donné ce précieux conseil, pour le stimuler. Il s'appelle Roland et il est incapable de satisfaire une femme au lit. Il m'a proposé d'aller boire un café à L'étincelle, rue Bayard, et j'ai accepté. J'ai trouvé sa façon de me draguer originale. Il n'a plus évoqué son impuissance et je lui ai parlé de Daniel, il m'a suggéré de l'oublier.

2

Simon

Ça faisait quelques mois que j'étais à la rue. Je voulais continuer à ignorer pourquoi j'en étais arrivé là. Tout ce que je savais, c'est que j'avais perdu beaucoup de temps à essayer de devenir ce que je ne serai jamais, et qu'après ça avait été la dégringolade. Oui, je suis convaincu que l'on perd son temps souvent, et que l'on finit par tout perdre sans avoir rien gagné dans la vie, ou si peu.

Dans mes bons jours, je parvenais à me faire autour de deux cents francs. J'avais toujours un peu de respect pour moi-même et mon allure générale n'effrayait pas le nabab. J'étais sans emploi, sans logement. Je n'exigeais rien, de personne. Un ou deux francs pour survivre, voilà tout ce que je demandais. J'officiais rue d'Alsace-Lorraine, souvent à égale distance entre la rue de la Pomme et la rue du Fourbastard, plus rarement à l'entrée de l'église Saint-Jérôme.

Le seul gars avec qui je communiquais encore avait fondu plusieurs fusibles. On l'appelait Octopussy, pour la simple raison qu'il se promenait la journée durant avec une pieuvre en peluche. Les quelques sous qu'il parvenait à grappiller, il les consacrait à la picole. Certains soirs, je le retrouvais dans un bar de la place du Capitole. Selon mon humeur je l'interrompais dans son soliloque, ou me contentais de siroter mon demi en observant sa pieuvre, je me disais alors qu'à force de tendresse, d'encouragements, Octopussy parviendrait sûrement à lui arracher quelques paroles.

Octopussy prétendait avoir été flic, ce que j'ai pensé être vrai lorsqu'on l'a retrouvé mort, lardé de coups de couteau, quelque part du côté de la place de la Trinité. Cela sans doute ne veut rien dire. Aussi bien, ce sont les Iroquois qui lui ont fait son affaire, peut-être refusait-il tout bonnement de se soumettre à leur racket, dans ce cas il avait le courage que je ne connaissais à personne.

La rue est un marché à part entière, il y a ceux qui bossent comme des malades pour garder la tête hors de l'eau, et puis d'autres qui essaient par tous les moyens d'en tirer profit, c'est souvent pas compliqué, il suffit d'un peu de muscle, d'une tête à foutre la trouille au diable en personne et une façon bien à soi de faire comprendre que c'est au choix : la bourse ou la vie...

Les Iroquois étaient au nombre de quatre mais je ne me souviens précisément que du meneur. Un mec pourvu d'une crête rouge sang et qui avait tellement de ferraille sur lui, comme des boucles, des lames de rasoir et des trombones dans les oreilles, le nez, les sourcils et les lèvres, qu'il n'aurait pas résisté, j'en suis sûr, à l'attraction d'un gros aimant. Treuil, c'était son nom. Et quand Treuil radinait avec sa bande de rats et ses airs de grande coquette, y'avait intérêt à pas l'ouvrir, sinon pour dire *amen*.... Je ne l'ai jamais connu autrement que bourré, et son haleine fétide aurait tué un morpion à trois mètres. Montfort, il me surnommait, ce qui pouvait laisser supposer qu'il n'était pas dénué de culture, sinon d'humour.

Ça le démangeait malgré tout de me mettre la tête comme un compteur à gaz. Treuil a eu le malheur un soir de se pointer sans sa bande.

J'ai dû dire un mot de travers, ou ma façon de le regarder ne lui a pas beaucoup plu. J'étais assis par terre avec mon gobelet entre les jambes. C'est assez flou dans mon souvenir. J'ai paré son premier coup de poing et puis j'ai cessé de résister. Je sentais déjà un peu de sang me couler dans la bouche. Ma tête avait heurté le mur et mon crâne avait sans doute produit à son oreille un bruit qui lui était agréable car il cherchait, on aurait dit, à m'incruster tout entier dans la brique.

Bien qu'il n'y ait jamais rien à attendre de ces mecs, j'ai pensé aux flics. Mais les flics vont toujours par deux, comme les poules d'eau, et lui était seul. Je n'ai vu d'abord que ses pieds, il portait des chaussures vernies. Ma conscience vacillait, j'étais tout près de perdre connaissance. Treuil s'est mis à le menacer puis j'ai compris que mon sauveur l'avait attrapé par le col et le traînait dans la rue du Fourbastard.

Le gobelet avait roulé sur le trottoir. Lorsque j'ai rouvert les yeux, l'homme était agenouillé devant moi et me considérait en silence. J'ai fixé mon attention sur le Saint-Exupéry, il le tenait plié dans le sens de la longueur et soufflait dessus comme pour le refroidir. Son attitude ne me disait rien de bon. N'eût été l'aide qu'il m'avait apportée, je me serais dit que mon heure avait sonné. Je me tâtai le crâne, je ne saignais que faiblement, je n'avais rien de cassé. Je plissai les yeux tandis qu'il glissait le billet dans ma poche.

– Ça fait un moment que je t'observe...

Sa voix avait quelque chose de glacial, comme son regard. Seul son sourire semblait vouloir démentir cette impression. Je remarquai ses yeux, très noirs, son nez écrasé sur son visage. Je constatai sa petite taille, le pli impeccable de son pantalon, l'anneau en or à son doigt.

– Qu'est-ce que tu as fait de Treuil ?

Ses mains étaient couvertes de sang et il se contenta de me demander si j'avais un mouchoir. J'en trouvai un, propre, dans mon sac à dos.

– T'as des projets pour les prochains jours ?

3

Elvire

Mon cœur bat encore la chamade à l'évocation de ces instants. Ce jour-là, comme tant d'autres, j'ignorais à quelle sauce j'allais être mangée. Que je craignisse son retour tout en le souhaitant me consternait, j'en ressentais de la honte, et pourtant il en allait bien ainsi. Je ne cherchais pas à l'expliquer. Inconsciemment, en attribuais-je peut-être la cause à mon isolement, et à rien d'autre. J'étais résignée.

Daniel gara la voiture au milieu de la cour, ce qui signifiait qu'il ne s'attarderait pas. Il était accompagné d'un homme au visage oblongue et au crâne chauve, au regard éteint et à la lippe molle.

À l'abri des épais rideaux, je serrai les poings dans les poches de mon tablier. J'en avais la nausée. Daniel rayonnait, désignant à l'inconnu les fenêtres du premier étage, puis celles du rez-de-chaussée, parlant fort et de manière précipitée, sur ce ton d'affabilité que je ne lui connaissais qu'en présence d'un étranger.

– Elvire ?... Elvire ? Où es-tu ?... Ma sœur est d'une nature farouche, mais tu t'y habitueras, n'aie crainte, elle ne me refuse rien...

S'il m'obligeait à coucher avec cet homme, je me tuerais... Je me disais cela à chaque fois, et chaque fois je me soumettais à ses volontés. Je le laissai s'égosiller encore un peu, puis me décidai à les rejoindre.

– Ah ! Elvi...

Daniel était sur le point de me reprocher ma tenue. S'il se garda bien de la moindre remarque, ses lèvres s'arrondirent toutefois en une moue dépitée. Sa fourberie n'en souffrit guère. Il rongeait son frein mais fit les présentations sans cesser de s'agiter comme un diablotin sur ressort, ses mains brassant l'air avec une nervosité qui n'avait d'égal que le battement de ses paupières.

– Simon... Simon...

– Chanfreau, Simon Chanfreau...

– Simon est désormais à mon service...

Je dus paraître soulagée car Daniel m'offrit son plus beau sourire, celui qui signifiait que je ne perdais rien pour attendre.

– Comme je te l'expliquais, ma sœur habite au premier, moi au rez-de-chaussée... Aurais-tu l'obligeance, Elvire, de montrer à Simon la salle de bains ? Il aurait besoin de se restaurer aussi... Tu pourrais l'accompagner en ville ensuite afin de lui faire acheter quelques frusques, je te laisserai un peu d'argent sur la table de cuisine.

Sur quoi, Daniel regagna ses appartements.

À la douceur que je sentis soudain se dégager de lui, je compris aussitôt que Simon n'était pas de ces hommes qui pouvaient longtemps supporter la compagnie de mon frère. De manière presque imperceptible, il haussa les épaules et je lui souris.

– Vous avez saigné du nez...
– Rien de grave, je vous assure.
– Daniel ne connaît pas sa force...
– Il semblerait, en effet...
– Vous me suivez ?

Je le conduisis à la salle de bains. Simon demeura un moment, bras ballants, au milieu de la pièce. Il s'attacha ensuite à en détailler les divers éléments. Je m'assis sur le tabouret près de la baignoire et croisai les bras.

– Vous devez penser que je ressemble à une boniche, non ? J'étais belle il n'y a pas si longtemps de cela...
– Vous l'êtes toujours...

Sensible au compliment, je feignis néanmoins de n'avoir pas entendu.

– Pour tout vous dire, je me néglige, volontairement... Que vous a raconté mon frère ?
– Rien...
– Il ne vous a pas dit pourquoi il avait tant besoin de vous ?
– Non.
– J'aimerais vous mettre en garde : mon frère est cruel...
– Il ne m'a pas fait cette impression...

Simon s'exprima avec tellement peu de conviction que je réprimai un ricanement.

Il n'en dit pas plus et je devinai à sa façon d'observer la baignoire que c'était tout ce qui l'intéressait pour l'instant. Je l'encourageai à se défaire de ses vieilles nippes tandis que j'actionnais les robinets.

Quand je me retournai, Simon ne portait plus que son slip. Il avait agi sans se soucier de moi, avec un manque de pudeur manifeste.

Simon avait un corps bien fait, musculeux, presque

imberbe, et ça ne faisait aucun doute qu'il bandait. Une onde de chaleur me parcourut le ventre et je détournai vivement le regard, bredouillant que je ferais mieux de le laisser seul.

– Vous étiez à la rue, n'est-ce pas ?... Ça fait longtemps ?

– Je ne compte pas les jours...

– Ça n'y paraît pas.

– Je n'ai pas encore franchi la frontière qui fait de nous des animaux... Ça n'empêche que mes vêtements sont bons à mettre à la poubelle...

– Daniel a dit qu'on irait acheter de quoi vous rhabiller. Quand Daniel dit, on fait... De quoi manque-t-on le plus quand on est à la rue ?

– De tendresse.

– Je vois ce que vous voulez dire...

– Ne vous méprenez pas, Elvire !

– Je ne me méprends pas, et ne vous sentez pas gêné, il y a beaucoup de choses que je peux comprendre...

Je me levai. Lorsque j'eus atteint la porte, je l'entendis pénétrer dans le bain, je suis certaine qu'il n'aurait pas pu attendre une seconde de plus. Sans me retourner, je lui dis que rien ne le pressait, qu'il n'hésite pas à m'appeler s'il avait besoin de quoi que ce soit, que les serviettes étaient là, le sèche-cheveux...

– Oh ! Pardonnez-moi !

J'éclatai de rire. Bien que ce ne fût pas le même rire, je ne m'étais pas abandonnée ainsi depuis longtemps, en fait depuis que Père était passé de vie à trépas. Non que je l'aie détesté, bien au contraire, mais Daniel venait de prendre la décision de confier notre mère aux bons soins d'un hospice. C'était tragique et je n'avais plus de larmes pour pleurer.

– Je me rasais le crâne par hygiène. Peut-être les laisserai-je repousser.

– Cela vous va très bien... Simon, méfiez-vous de Daniel...

– Pourquoi devrais-je me méfier ?

– Daniel est un être cupide et amoral, et je ne crains pas de vous faire cette confidence, je me moque de savoir si cela contrarie votre propre jugement...

– Je n'en porte jamais...

– Cela risque de changer... Vous croyez en Dieu ?

– Non.

– Alors ne le dites surtout pas à Daniel, car mon frère se prend pour Dieu !

Je claquai la porte derrière moi. Je restai là un moment, les yeux fermés, ignorant encore si je venais de commettre une erreur. J'avais peut-être parlé d'une manière inconsidérée, mais je supportais de moins en moins ce poids sur mon cœur. Que Simon s'en ouvre à Daniel et je serais fixée une fois pour toutes sur son compte. Qu'il garde tout cela pour lui et peut-être que nous pourrions nous entendre.

4

Julia

« Le cynisme de l'extrême solitude est un calvaire qu'atténue l'insolence. » Cette phrase est de Cioran et convient à mon état d'âme, j'ai peur malgré tout de manquer d'insolence. Ce matin, j'ai tenté à nouveau de me remettre à la rédaction de mon journal. Cela n'a rien donné. Écrire suppose un abandon, de se soumettre à une exigence impérieuse, et sans doute suis-je un peu trop rebelle. Je ne parviens pas à rendre sans emphase la vie telle qu'elle est, les émotions brutes, les douleurs sournoises. Je ne sais pas écrire.

J'ai maudit Daniel trois jours, c'est-à-dire assez longtemps pour me convaincre que j'en étais tombée amoureuse. Son absence soudain me pesait, plus lourdement encore depuis que ma mère, dont je n'avais plus eu de nouvelles depuis quatre ans, m'avait avertie par télégramme qu'elle souhaitait ma présence. Sans doute désirais-je compenser ainsi une peine que je répugnais à ressentir, à laquelle j'essayais de me dérober. Le contraire m'aurait obligée à admettre la tendresse toujours enfouie tout au fond de moi, que je vouais peut-être encore à celle qui m'avait mise au monde.

Je suis restée sourde à son appel et cela l'a contrainte à utiliser le téléphone.

– J'aimerais revoir ma fille.

– Je ne suis plus ta fille.

– Je me sens très éprouvée, alors je t'en prie, viens, j'ai à te parler, tu en feras ensuite à ta tête.

Je me suis rendue à l'hôpital en fin d'après-midi. Ne demeurait de vigueur que dans son sourire. Tout ce qui lui restait de vie semblait s'y concentrer. Qu'il se dissipe et elle mourrait, j'en avais pleinement conscience. Néanmoins, j'aurais voulu qu'elle me l'épargne. Trop forte était l'impression qu'elle implorait de cette manière ma pitié.

Malgré tout, je m'approchai du lit. Elle souleva son bras dans l'espoir que je lui prenne la main. À la faveur de mon silence, son sourire s'atténua quelque peu, mais je n'en éprouvai nulle joie. Son bras retomba mollement sur le drap.

– Tu as l'air contrariée ? dit-elle.

– Ça devait arriver un jour ou l'autre...

– J'ai tellement vieilli que tu ne dois pas me reconnaître...

– Dans la rue, je t'aurais croisée sans te voir.

À cet instant, une infirmière vint s'enquérir de son moral. Elle en profita pour m'adresser un regard de reproche puis sortit de la chambre.

– Les médecins me donnent deux mois.

– Ce n'est pas ce qu'on vient de me dire...

Sans que je le voulusse vraiment, je venais de faire montre d'une extrême cruauté. Les mots étaient sortis tout seuls. Je ne le regrettai pas, même lorsque son sourire se fut complètement évanoui. Le chagrin que je lui causais était réel mais comme elle crispa les mains sur son ventre, je ne pus lui imputer la grimace qui lui tordit alors les lèvres.

– Combien ?

– À quoi bon ?

– Il faut que tu me le dises.

Pour moi, la question était de savoir si je voulais qu'elle me prenne en flagrant délit de mensonge. Je n'hésitai guère plus de dix secondes. Je me décidai à murmurer :

– Si tu y tiens... Trois semaines, peut-être un mois...

– C'est bien ce que je pensais. Le cancer du pancréas est du genre foudroyant, n'est-ce pas ?

– On ne choisit pas son cancer...

– On ne choisit pas non plus d'avoir une fille qui n'a pas besoin d'ouvrir la bouche pour vous montrer qu'elle vous crache à la figure !

Trop longue fut sa réplique. Tout son corps se contracta et ses poumons expulsèrent un faible souffle d'air. Je renonçai à lui répéter que je n'étais plus sa fille. Comme je regardais la table de chevet que n'encombraient qu'un verre d'eau et un thermomètre, elle articula, avec peine :

– J'aurais aimé que quelqu'un m'apporte un bouquet de fleurs...

– Tu ne parviendras pas à me culpabiliser.

– Je sais, et je n'en ai pas l'intention, ça me demanderait trop d'efforts. Tu ne veux pas t'asseoir ?

– Non.

– Comme tu voudras... Tu vois mon sac à main sur la chaise ? Prends-le.

Je m'exécutai.

– À l'intérieur, il y a une enveloppe, ton prénom

est inscrit dessus... J'ai pris mes dispositions pour mes obsèques, tout est réglé, tu n'as pas à t'en soucier... Ouvre-la !

Je déchiffrai le chèque que sa main fatiguée avait libellé. Je ne manifestai pas ma surprise, pas plus que mon contentement.

– Ça t'évitera bien des tracas, encaisse-le aussitôt que possible... Ça t'écorcherait la bouche de me remercier ?

– Oui.

– Que t'ai-je donc fait que je mérite si peu d'attention de ta part ?

– Pour moi, tu es morte il y a déjà longtemps.

– Tu es cruelle.

– Tu m'as faite comme je n'aurais pas voulu être conçue...

– Crois-tu que j'avais le choix ?

– Non.

– Ton père désirait un garçon, mais lorsqu'il t'a vue, penses-tu qu'il en ait nourri du ressentiment ? Non, il t'a acceptée telle que tu étais... Plus tard tu regretteras, Julia, d'avoir manqué d'indulgence. Il faut s'accepter tel qu'on est, on ne peut pas agir autrement.

Je me suis dirigée vers la porte, pour me rendre compte aussitôt que je ne pourrais pas la franchir sans avoir crevé l'abcès, fait s'épancher le pus.

Je retournai à son chevet.

– Tu as oublié de m'embrasser ?

J'eus hâte qu'elle ne se berce pas d'illusions.

– Non... Je voulais simplement te dire qu'un jour Antoine, ton second mari, a tenté de me mettre dans son lit, votre lit ! et que si j'avais été un garçon je l'aurais tué, tu entends, je l'aurais tué !

Le coup avait porté durement, il aurait suffi de

beaucoup moins pour terrasser une femme en bonne santé, il est vrai.

– Tu n'aurais jamais dû quitter papa, tu n'aurais pas dû !

Et je m'enfuis, et je ne sanglotai, comme une conne, qu'une fois parvenue dans la rue, de retour à ma voiture.

Elle est morte dans la nuit. Les médecins, avec qui bien sûr je ne m'étais pas entretenue, avaient préjugé de ses forces. J'ignore encore aujourd'hui dans quel cimetière elle a été inhumée, je doute que personne vienne jamais poser des fleurs sur sa tombe.

Le lendemain, Daniel me téléphonait, il souhaitait passer un moment avec moi, je lui dis que je n'attendais que lui.

5

Simon

Tout mon être était tendu vers ce bain et j'ai agi sans réfléchir, sans pudeur. Il ne fait aucun doute qu'Elvire a perçu cela comme un appel, alors qu'il n'en était rien. Elle a rougi. J'aurais pu dissimuler mon érection, voire me rhabiller, mais la gêne que je ressentais eût fait place au ridicule. Certes, peut-être alors se serait-on esclaffés, chavirant aussitôt dans une sorte d'intime complicité que nous ne supposions pas encore entre nous. Depuis combien de temps aussi n'avais-je été si proche d'une femme ? Nul besoin qu'elle fût nue pour m'émouvoir. Ses rondeurs avaient suffi à enflammer mon imagination, à m'étourdir. Qu'elle fût mal habillée, singulièrement à son aise dans cet horrible tablier à fleurs, la rapprochait de moi de manière étrange. Alors qu'elle se dirigeait vers la porte, j'ai ôté mon slip et me suis hâté d'entrer dans la baignoire. Une fois seul, je me suis masturbé et ça m'a nettoyé de mes derniers scrupules.

Elvire m'attendait au bas de l'escalier. Elle s'était changée. Elle portait un pull à col roulé de couleur sable et un tailleur noir. Ses jambes étaient nues, ni bas ni collants, mais des clips en forme de scarabée étiraient ses lobes d'oreille et elle avait maquillé ses yeux vert absinthe avec un peu d'eye-liner. Le contraste était saisissant, entre ce qu'Elvire était devenue et la première image que j'avais eue d'elle, et aussi entre elle et moi. Je n'avais pu me changer et me sentais, malgré le soin que j'avais mis à me laver, à me frictionner, terriblement sale.

– Pour être, il faut devenir, non ? Alors ne tardons pas, il est déjà dix-sept heures...

Je l'ai suivie docilement. Elle ne cessait de répéter que nous n'irions pas loin avec mille cinq cents francs, que l'avarice était bien le moindre des défauts de son frère. Comme elle ne se proposa pas de m'avancer un peu plus d'argent, j'en déduisis qu'elle possédait ce même genre de travers ou, plus certainement, qu'elle n'était pas en mesure de le faire.

Avec des regards en dessous et un franc sourire, elle mit un soin particulier à me choisir des chaussettes et des slips neufs. J'eus mon mot à dire pour les chaussures mais quant au reste, je la laissai agir à sa guise et me materner puisque cela semblait lui faire plaisir.

Avarice ou pas, je n'avais pas consacré autant d'argent à ma tenue depuis une éternité. Quand je m'observai en début de soirée, rhabillé de la tête aux pieds, dans le miroir du magasin où je venais d'endosser une veste à chevrons qui, selon elle, était en accord avec la chaleur de mon regard, je me trouvai une certaine allure. J'étais si bien de ma personne qu'elle ne put s'empêcher de poser un baiser sur ma joue.

– Avouez que j'ai du goût !

Je balbutiai de maladroits remerciements et elle

s'empressa de me clouer le bec en effleurant mes lèvres avec ses doigts. Comme dans chacun des magasins que nous avions écumés, elle se rendit discrètement à la caisse, puis nous sortîmes. La nuit était tombée, je n'avais pas vu le temps passer. Elle me dit qu'il nous restait tout juste de quoi déguster un café, à moins bien sûr que je veuille boire autre chose, auquel cas elle se passerait de café, en fait elle n'avait pas vraiment soif... Je demandai un verre d'eau du robinet et lui commandai un chocolat chaud.

Chauffeur, garde du corps, j'allais être les deux à la fois. À la disposition de Daniel vingt-quatre heures sur vingt-quatre.

Demeure des Lestrade de père en fils, siège de sa société, l'hôtel particulier de la rue Ozenne aurait pu également m'accueillir mais, pour des raisons que je ne compris que confusément, Daniel préféra m'installer dans un deux-pièces en mansarde d'un immeuble dont il était aussi propriétaire, rue des Coffres. Que j'en profite pour ouvrir l'œil, et surtout l'oreille, car s'il y avait une chose dont il avait horreur, c'était bien qu'on dise du mal de lui. Le téléphone était déjà installé. Il m'en donna le numéro, même s'il ne voyait pas très bien l'utilisation que je pourrais en faire...

– C'est moi qui t'appellerai, jamais l'inverse. Tu es en bonne santé ? Bon. Tout est à ma charge, le gaz, l'électricité. Je te donnerai deux mille cinq cents francs au début de chaque mois, ça devrait te suffire.

C'était nettement inférieur à ce que je me faisais parfois dans la rue, mais il est vrai que je dormais alors à la belle étoile, à l'occasion seulement à l'hôtel pour me refaire une santé et en écraser sans craindre l'agression, dans la journée j'avais lavé tout mon linge au lavomatic de la place Lafourcade et me sentais à peu près normal.

Je me suis allongé sur le lit et j'ai pensé à Elvire. Comme l'effet qu'elle produisait sur moi était toujours le même, j'ai tenté de l'oublier, mon érection s'est prolongée encore un peu et je suis sorti.

Je n'étais plus le même homme mais je suis convaincu qu'il ne suffit pas de grands changements pour cela. D'un jour sur l'autre, on se transforme, peu à peu, et puis il arrive un moment où on est devenu vraiment différent, le cuir s'est tanné, les os se sont fragilisés, et puis on meurt. Qu'on soit alors tous logés à la même enseigne n'est que justice.

L'idée m'a traversé que je pourrais renouer peut-être avec de vieilles connaissances, mais j'ignorais encore si je venais de trouver la chance de m'élever, ou celle de me rabaisser... Né dans une grange, Jésus était mort, disait-on, sur la croix. Je me méfiais.

J'achetai de quoi me préparer du café dans une épicerie de nuit, Grande-Rue Saint-Michel, quelques magazines au tabac-presse de la rue des 36 Ponts, et déambulai un moment au hasard. Parvenu aux Carmes, je décidai de pousser une pointe jusqu'à la rue du Fourbastard.

La voie était déserte. Le pavé suintait d'humidité. Je m'avançai et tombai en arrêt devant la silhouette d'un homme dessinée à la craie sur le sol.

De retour à mon studio, je me suis préparé du café. J'avais choisi un magazine qui se révéla, dès que je l'eus ouvert, particulièrement vicelard. On y racontait par exemple qu'une vieille femme de soixante-dix-sept ans, perdue dans un coin du Morvan, consacrait son existence à la confection de martinets. Elle en produisait des centaines de milliers par an, qu'elle vendait dans toute la France. Père Fouettard devait l'applaudir des deux mains dans sa tombe, si l'homme n'est jamais mort, ou né. Interrogée sur l'avenir du fouet, la vieille bique répondait qu'elle songeait diversifier sa clientèle et que, naturellement, sa nouvelle cible était les sex-shops. Les martinets s'y vendaient à prix d'or ! Bien sûr, elle ne pouvait que regretter que les méthodes d'éducation aient changé. Elle ne faisait que s'adapter, et patati et patata...

J'allais m'endormir sur ses radotages quand le téléphone a sonné, je l'ai laissé égrener douze coups car il était minuit ou à peu près.

– Simon ! Mais qu'est-ce que tu fous ?

Daniel paraissait excédé, il mettait cependant un bémol à sa colère, semblait-il.

– Des problèmes ?

– J'en ai peut-être mais ça ne te concerne pas. Et j'ai horreur qu'on réponde à une de mes questions par une autre, d'accord ? Alors, où étais-tu ?

– Je dormais.

– Pas maintenant, tout à l'heure.

– J'avais besoin d'un peu de lecture, et puis de café...

– Ne t'avise pas de t'absenter de chez toi plus d'une demi-heure.

Je n'ai rien dit d'autre, Daniel avait raccroché.

6

Elvire

Je souhaitai à Simon de passer une agréable soirée et l'abandonnai à Daniel. Simon prit le volant et il me sembla surprendre son sourire dans le rétroviseur extérieur. Je regardai la voiture s'éloigner, avec mon frère qui s'agitait sur le siège arrière.

Je pensai être tranquille plusieurs heures. Je me changeai et me préparai quelques toasts pour seul dîner. J'avais l'estomac noué et la nourriture avait du mal à passer. Je bus plus que je ne mangeai d'ailleurs. Je me contentai tout d'abord de deux doigts de porto et remis la bouteille sous l'évier. Je me relevai trois fois pour remplir mon verre puis je m'évitai des déplacements inutiles en la laissant sur la table. La tête me tournait déjà un peu et ma vigilance se relâchait, j'avais moins peur.

Au bout d'un moment, j'agis cependant comme de coutume, j'allai quérir la bonbonne que je tenais cachée au milieu de la réserve de conserves et me munis de l'entonnoir. Je repérai la marque faite au feutre bleu à cinq six centimètres sous le goulot de la première bouteille et m'échinai à retrouver grâce à elle le niveau initial. Je dépassai en fait largement le trait et m'octroyai ainsi un autre verre. Je me surpris à sourire de ma ruse. C'était une astuce vieille comme le monde mais ce n'était pas le même porto, voilà pourquoi je souriais. Et puis je n'avais pas le vin triste ce soir.

Je n'avais pas entendu Daniel rentrer et je sursautai quand l'ampoule rouge se mit à clignoter au-dessus de la porte. Je rangeai les bouteilles à leur place respective, rinçai le verre et ébouriffai mes cheveux. Je sortis de la cuisine. Parvenue dans le hall, je marquai un temps d'arrêt. Les portes étaient ouvertes. Le cœur battant, je traversai l'antichambre puis pénétrai dans son bureau.

Daniel était à son ordinateur et en l'absence de toute autre lumière que celle dispensée par l'écran, son visage chafouin m'apparut bien plus terreux qu'à l'ordinaire. Il me fit signe d'approcher sans cesser de pianoter sur son clavier. Si à une époque je m'étais intéressée à ses frasques, aujourd'hui ça me laissait de marbre. Je jetai un coup d'œil anxieux en direction de la pyramide de verre qui reposait sur la table près de la fenêtre.

Le monstre m'observait sans doute en remuant ses crochets. Il y avait quelques mois de cela, j'avais recueilli un petit chat. Pas bien vaillant, il n'avait pas survécu plus d'une semaine et, pour me consoler, Daniel avait ramené cette chose répugnante. Je m'étais évanouie lorsque sans prévenir il avait ouvert la boîte à chaussures qui l'abritait alors. Et depuis, je vivais dans cette crainte absurde, celle qu'elle s'échappe et vienne se glisser toute seule un soir dans mon lit, ou que, plus probable, mon frère la délivre et l'y glisse lui-même.

Une dizaine de centimètres de longueur, une

envergure de vingt-cinq, un poids d'une centaine de grammes, la theraphosa leblondi est une mygale dont la beauté n'a d'égale que la répulsion qu'elle inspire.

Son abdomen était si gros que je n'aurais pu le couvrir de mes doigts pour le dissimuler dans mon poing. Bien sûr jamais je n'aurais eu l'idée de me risquer à une telle manœuvre.

Daniel m'avait obligée à assister à son premier repas. Comme on ne s'attend sûrement pas à trouver un crocodile dans sa baignoire, longtemps je m'étais demandé ce qu'avait bien pu penser la souris au cours des quelques secondes précédant le moment où l'araignée lui avait inoculé son venin.

Je ne quittai pas la pyramide des yeux.

– Tu te plais à t'enlaidir, hein ?

– J'aime ce tablier...

– Si tu cessais de te foutre de ma gueule !

Il n'avait pas encore détourné le regard de son ordinateur. La clarté de l'écran était changeante et la grimace qui déformait la bouche de mon frère s'estompait par instants. Parfois aussi, tout son visage regagnait l'ombre. Cela avait valeur de ricanement et suffisait à me glacer les os.

– Comment le trouves-tu ?

– Qui ?

– Ne fais pas l'idiote !

– Ah ! Simon... Il a du charme, il me plaît bien...

– Je me fous qu'il te plaise ou non... Penses-tu que je puisse avoir confiance en lui ?

– Parce que mon avis t'importe !

– Si tu me dis qu'il ne te semble pas digne de confiance, alors je le garderai.

Je souris de dépit.

– Tu veux savoir à quoi je travaille ?

– Non, Daniel, je m'en moque.

Sa bouche expulsa un petit rire sardonique. Puis Daniel se leva et franchit en deux enjambées l'espace qui le séparait de son araignée.

Sa main fouilla les tentures, actionna l'interrupteur, et un tube au néon nous ravit à l'obscurité. Médusée, j'observai l'ombre de Daniel s'étendre sur le parquet et m'écartai pour éviter son contact, elle me faisait l'effet d'une langue gluante et je craignais qu'elle ne s'enroule autour de ma cheville. Dieu sait dans quel gouffre elle m'aurait entraînée alors... Pendant quelques minutes interminables, Daniel garda le silence. J'attendis.

– Sais-tu que la mygale peut être cannibale ? Qu'il y ait accouplement ou non, la femelle peut boulotter le mâle, ça déclenche même chez elle un appétit exceptionnel... Tu me mangerais bien, n'est-ce pas ?

– Si tu me compares à ton araignée...

– À vrai dire je ne sais pas lequel de nous deux lui ressemble le plus...

Son corps masquait le terrarium. Au son de sa voix, je devinais la fixité de son regard. L'araignée avait sur lui un effet hypnotique et apaisant. Daniel n'était jamais aussi calme qu'en ces instants.

– Connais-tu la légende d'Arachné, Elvire ? Non, sûrement pas... Sinon tu ne répugnerais pas à regarder cette créature, tu la prendrais même en pitié, tu la plaindrais, oui, tu ferais amie amie avec elle. Tu ne te fies qu'aux apparences, tu ignores que tout acte que tu imagines être de la pure barbarie répond à une douleur profonde...

Quelles que fussent ses paroles, Daniel ne parviendrait plus à susciter la compassion en moi. Je n'étais plus qu'une proie livrée à ses caprices de dégénéré.

– La légende d'Arachné nous apprend que les dieux n'apprécient pas la perfection chez l'humain et que l'homme de talent a tout intérêt à vivre caché, à moins de subir le même sort que cette pauvre Arachné. Qui sait si une issue analogue ne m'attend pas...

Je n'osai lui rétorquer qu'il avait peut-être déjà subi la même punition, l'image que j'avais de lui n'avait rien à envier à celle que m'offrait son monstre. Pour mon malheur, il ressemblait encore à un homme, sinon j'aurais pris sur moi, je lui aurais fait connaître la vraie douleur.

Arachné était une belle princesse qui consacrait tous ses loisirs à tisser. Ses œuvres éveillaient l'admiration, et l'envie, surtout l'envie. Arachné avait besoin du regard de l'autre, elle ne pouvait s'en passer, son orgueil seul rivalisait avec ce besoin, et c'est bien sûr le péché d'orgueil qu'elle finit par commettre.

– À cause de sa grande habilité, elle avait la réputation d'avoir été l'élève d'Athéna, la déesse des Arts. Seulement, Arachné ne voulait rien devoir à personne, encore moins à une déesse. Prétendre qu'elle lui devait ne serait-ce qu'une parcelle de son talent correspondait à une insulte. Elle éprouvait d'ailleurs un tel sentiment d'injustice qu'un jour elle lança un défi à Athéna. Celle-ci lui apparut alors sous les traits d'une vieille femme et lui conseilla un peu plus de modestie. Elle voulait bien sûr la mettre en garde, car si Arachné ne revenait pas à de meilleures dispositions, eh bien, la colère d'Athéna serait sans égale. Tu peux imaginer ce qui s'est passé, non ?

Daniel fit une brusque volte-face et je sentis peser sur moi toute l'intensité de son regard acéré.

– Manquerais-tu d'imagination, Elvire ?

S'il avait cherché à me mettre moi aussi en garde, Daniel n'aurait pas agi autrement. Je lui tournai le dos et il fit quelques pas vers moi. Sous le ton de confidence que sa voix avait adopté, on sentait sourdre la menace. Même s'il semblait encore qu'il se parlait à lui-même, qu'il récitait une leçon afin de révéler une faute que lui ne commettrait pas, du moins l'espérait-il.

– Arachné se mit à agonir la vieille femme. Et alors seulement Athéna se dévoila et le concours commença. Chacune entreprit ainsi de réaliser une tapisserie. Sur la sienne, Athéna représenta les douze dieux de l'Olympe dans toute leur majesté. Pour avertir Arachné, elle ajouta quatre épisodes montrant la défaite de quelques mortels qui avaient osé défier les dieux. Arachné, elle, dessina les amours des dieux, ceux dont ils ne se vantaient pas...

– La tapisserie d'Arachné était parfaite, j'imagine.

– Oui, mais que vaut la perfection face à la colère divine ? La réaction d'Athéna fut proportionnelle à l'affront : elle déchira l'œuvre d'Arachné et la frappa durement. La légende raconte que, de désespoir, celle-ci se pendit, mais qu'Athéna ne lui permit pas de mourir et la transforma en l'insecte qu'elle détestait le plus...

Ses mains se posèrent soudain sur mes hanches, son corps se colla bientôt au mien. Je fermai les yeux tandis qu'il soulevait mon tablier, tâtonnait mes cuisses pour s'assurer que je portais bien des bas.

Je perçus l'accélération de son souffle à mon oreille. Il ne m'avait fait venir que pour ça, je savais aussi qu'il ne prendrait pas la peine d'ôter ma culotte, qu'il se contenterait d'écarter le tissu. Forçant d'une main sur ma nuque, il me contraignit à me baisser et à me cabrer et je sentis son sexe se coller à ma peau.

– Chez les mygales, le mâle ne s'accole jamais à la femelle, mais s'il croit préserver ainsi sa petite existence, il ignore qu'il signe tout de même là son arrêt de mort. Après l'accouplement, le mâle ne mue plus et la mort est inéluctable...

Son sexe pénétra en moi et je m'appuyai sur le rebord du bureau. Je fermais encore les yeux et tentais de refouler les terribles visions qui cherchaient à me hanter.

– Pour l'engrosser, le mâle perfore l'abdomen de la femelle, mais elle, elle continue à muer une fois la maturité sexuelle atteinte, si bien qu'elle redevient vierge après chaque rapport... Pour moi, tu constituerais un attrait supplémentaire, Elvire, si tu étais une mygale...

7

Julia

J'écris ces quelques phrases dans mon journal aujourd'hui :

« Se défendre de ses souvenirs par lâcheté. »

« On ment quelquefois à dire sa vérité. »

« Ça m'arrangerait de penser que le vent d'autan y est pour quelque chose. »

« Le cul te mènera comme toujours à de grandes désillusions, l'écriture à supporter le poids d'une trop lourde solitude. »

Ensuite, je considère l'urne que l'on m'a remise ce matin. Je me demande ce que je vais bien en faire. Si je ne vais pas l'ouvrir, jeter un coup d'œil à l'intérieur. Après tout je n'ai rien à craindre. Une simple confrontation avec ce que je serai un jour, le plus tard possible. Je ne souffre pas, je suis à l'abri de la souffrance. Et si ces cendres devaient d'une manière ou d'une autre me délivrer un dernier message ?

Le téléphone sonne et me détourne de cette pensée saugrenue. Roland.

– Parviendrais-je à vous faire oublier votre défunt amant, Julia ?

– Boris Vian a écrit quelque part que l'on n'oublie rien de ce qu'on aimerait oublier, c'est le reste qu'on oublie.

– Ça me laisse peu de chance !

Il éclate de rire.

– Je le crois, oui.

Et je raccroche.

L'appareil se remet aussitôt à vrombir. Je le fixe sans y toucher. Soudain, me semble-t-il, il me brûlerait les doigts.

Ça me revient comme un relent.

– Oui...

– Daniel... Tu vas bien ?

Soudain, je me suis mise à trembler, comme une feuille ! Une jeune fille à la veille de son premier rendez-vous ! J'en ai eu honte, je sentais le rouge me monter aux joues, je luttais pour recouvrer mes moyens. Les reproches ont déboulé en cascades.

– Je t'attends depuis trois heures... J'avais fait livrer des pizzas, je les ai foutues à la poubelle... Je ne me ronge pas les sangs mais j'ai horreur qu'on me pose un lapin, tu entends ?

– Tu réagis comme une femme amoureuse...

S'il avait ri de sa réplique, j'aurais rompu. Daniel a choisi de s'excuser et j'ai fini par lui pardonner. J'ai exigé qu'il rapplique en vitesse, sinon...

Nous étions parvenus dans notre relation à franchir le cap des conventions compulsives, pour atteindre ce point où plus rien ne permettait de penser que notre entente découlait simplement d'une suite de circonstances hasardeuses, et je m'interrogeais sur nos atomes crochus, toutes ces petites choses que nous ignorions sans doute avoir en commun, et qui avaient créé les conditions de notre étrange amour. Cela allait bien au-delà du fait que nous nous étions rencontrés dans une agence immobilière, que nous vivions tous deux de nos rentes, lui en partie, moi complètement. Que nous aimions nous dérober aux bavardages inutiles, nous réfugier dans un silence éloquent et sans gêne. Chacun parfois retranché dans une douleur que, par intuition, je pressentais semblable.

Daniel n'était pas ce qu'on peut appeler un bel homme. J'appréciais en lui ce qui me semblait être une calme assurance. Qu'il se réfugiât quelquefois dans mes bras comme un enfant ne contrariait pas cette impression. M'étonnais-je seulement alors qu'il ne sanglotât pas. Me plaisait aussi finalement cette façon qu'il avait de me prendre. Je n'étais plus qu'une cible qu'il criblait de son ardeur sauvage. À peine regrettais-je qu'il ne m'embrasse plus souvent.

Daniel savait me faire rire aussi. Il me racontait des histoires auxquelles je ne croyais pas toujours. Son enthousiasme était communicatif et ce qui pour lui prenait l'allure d'un sacerdoce revêtait pour moi le charme de jolis contes innocents. M'aurait-il appris qu'il envisageait d'exporter des fours à micro-ondes sur Saturne, que j'aurais fini pourtant par le croire sur parole. Je ne voyais aucun mal à ce qui m'apparaissait de rares fois comme les fantasmes capricieux d'un riche bourgeois. J'ignorais que de cette manière il cherchait à échapper à la tendresse que je désirais lui prodiguer.

S'il m'avait offert des fleurs, je les lui aurais jetées à la figure. Un cactus, en revanche... On eût dit une espèce naine, un bonsaï. J'ai admis sa beauté avec un sourire et il a commencé la soirée sur un rayon de ma bibliothèque.

Par esprit de contradiction puis par nature, j'ai horreur de faire la cuisine. Ce soir-là, j'ai donc recommandé des pizzas mais nous y avons touché à peine. Daniel n'avait pas faim, contrarié qu'il était par un projet qui le tenait à cœur.

Je sirotais mon verre de chianti en le regardant aller et venir autour de mon lit. Daniel ne buvait pas de vin car, me disait-il, l'alcool lui montait trop vite à la tête. Entre deux explications, comme des réponses à des questions idiotes que je lui aurais posées, il humectait simplement ses lèvres au verre d'eau que j'avais posé sur la coiffeuse.

Nul doute que je ne pouvais imaginer une seule seconde les effets néfastes des radiations électromagnétiques émises par les écrans d'ordinateur ou de télévision...

– Tu dis que des études très pointues ont été menées dans ce sens...

– Oui... En 1984, des Suédois ont démontré qu'un homme ou une femme perdait 25 % de son champ magnétique après quatre heures passées devant un écran cathodique, et qu'en conséquence s'opérait une inversion des courbes d'excrétion d'adrénaline. L'organisme se sent agressé et refuse de rejeter son adrénaline, il garde alors cette hormone du stress jusqu'à la reconstitution de son champ énergétique, c'est-à-dire au bout de six heures !

Le blocage de l'adrénaline provoquait irritabilité et mauvais sommeil à court terme, troubles hormonaux à plus ou moins longue échéance : règles irrégulières pour la femme et baisse de la libido, voire de la virilité, chez l'homme...

– Daniel, tu me fais marcher...

– Pas du tout... On peut aussi observer : réactions cutanées, crampes, fatigue oculaire, fatigue générale anormale, lassitude inexplicable, altération de la résistance immunitaire... Bref, un vrai cancer !

Je poussai un grognement et me resservis un verre de vin.

– Qu'est-ce qui te prend ?

– Rien...

– Tu devrais boire moins...

– Je bois très peu, et puis ce n'est pas ton problème, non ?

– Bien sûr...

– Reprends, veux-tu ?

Des expériences en laboratoire avaient révélé que les rats étaient très fragiles en période embryonnaire et pré-pubertaire, et que tous ceux qui avaient été exposés à des écrans avant la puberté avaient montré une perturbation irréversible de leur développement neuroendocrinien : ils étaient devenus stériles et impuissants... Le rat était un mammifère, l'homme aussi !

– Tu prends de sacrés risques lorsque tu te mets devant un ordinateur, dis donc ?

– Et écoute bien : un toubib américain a démontré qu'un mammifère exposé à des champs électromagnétiques faibles voyait sa production de mélatonine perturbée...

– Qu'est-ce que c'est ?

– Une hormone notamment impliquée dans l'inhibition du développement du cancer du sein. Je pourrais te citer bien d'autres expériences...

– Une petite encore...

– Tu prends ça à la rigolade, mais c'est très sérieux... Un Français, lui, a mené des expériences sur des mouches drosophiles, appelées aussi mouches de vinaigre !

– Qu'y a-t-il d'amusant ?

– Les mouches, Julia, ça ne s'attrape pas avec du vinaigre !

En effet... et moi je commençais à me demander de quelle matière il serait bon que je sois faite pour l'attirer tout contre moi. J'étais plus proche du sucre que Daniel ne l'était de la mouche, mais la situation aurait dû tout de même favoriser d'agréables transports... Daniel continuait à faire les cent pas autour de mon lit et rarement il portait les yeux sur moi.

– Sache donc que la mortalité chez cet insecte est de 100 %, après seulement un jour sous exposition à l'écran.

J'ai achevé la bouteille. Je pensais à Daniel comme à une poupée gigogne. Sous sa calme assurance, on découvrait un homme intelligent, et en dessous un enfant. Trois tempéraments très distincts, sous une même enveloppe charnelle, pour une même nature. À sa façon de me regarder, je sentais qu'il m'avait tendu une perche, et qu'il n'attendait qu'une chose, que je m'en saisisse. Peut-être que tout cela n'était qu'un jeu, après tout.

– Et je parie que tu as réfléchi sérieusement à la question, et que tu as trouvé une réponse...

Son visage s'éclaira d'un sourire de bambin.

– La solution, Julia, tu l'as sous les yeux, enfin presque !

– Quoi ?

– Oui, le cactus !

Daniel s'empressa d'aller le chercher sur la bibliothèque. Il le posa près de moi sur la table de chevet et s'assit au bord du lit. Je parvins à contenir un éclat de rire. À ce moment précis, Daniel ne me l'aurait sans doute pas pardonné.

– Ce cactus vient d'Amérique Centrale, du Guatemala. Il absorbe les nocivités des ondes émises par les ordinateurs et les télévisions. Julia, je te présente le *Cereus Peruvianus Monstruosus* !

Je sifflai entre mes dents.

– Qu'est-ce que tu vas en faire ?

– Le commercialiser, tiens ! Il n'est plus un endroit, une entreprise où il n'y a pas un ordinateur.

– Tu n'as pas peur qu'on te rie au nez ?

– Avec une argumentation adaptée, on peut tout vendre aujourd'hui. Je cherche en ce moment à en importer en grand nombre, puis j'embaucherai des gars pour faire du porte à porte. Et je serai riche !

J'ai observé longuement le cactus avec un air effaré.

Quand j'ai essayé de lui prendre la main, Daniel s'est dérobé. J'avais terriblement envie de lui. J'ai ouvert le tiroir et, à ce geste, il a répondu en se levant, il m'a embrassée sur le front.

– Je dois partir...

– Tu n'as pas envie de passer la nuit avec moi ?

– Si, mais j'ai encore beaucoup de travail.

– Je...

– Quoi ?

– Nous en reparlerons un autre jour. Tu connais le chemin...

8

Simon

Jusque-là une mouche n'avait jamais eu à craindre de moi. À aucun moment je ne m'étais servi de mes poings, pour obtenir quelque chose ou pour qu'on me fiche la paix. Même quand Treuil... En y repensant, il aurait peut-être fallu que j'use de violence parfois, car je n'en serais pas arrivé là. Alors, comme garde du corps, je me sentais un peu minable. Je me demandais d'ailleurs si Daniel se faisait beaucoup d'illusions. Sans doute ne cherchait-il en m'engageant qu'à matérialiser sa paranoïa.

Une matraque. Pas de flingue et ça valait mieux. Je ne saurais pas faire la différence entre un pistolet et un revolver, ou cela me demanderait un gros effort de mémoire, j'ai dû l'apprendre mais je ne suis pas du genre à m'encombrer l'esprit de détails superflus. J'ai une mémoire sélective, et pour tout dire ma mémoire ne sélectionne pas grand-chose. Sauf sans doute les douleurs que je cherche à oublier en silence.

Une matraque, et des boules Quiès. Dans la boîte à gants.

J'ai attendu comme convenu dans la cour le lendemain matin, à peu près jusqu'à midi. De temps en temps, j'observais le rideau qui bougeait à une fenêtre du premier puis reportais mon attention sur le plan de la ville. J'essayais de me familiariser avec le nom des avenues, les sens interdits, en sachant pertinemment que c'était peine perdue et que Daniel aurait mille fois l'occasion de me prendre en défaut.

Donc j'en étais là lorsque Daniel est apparu en haut des marches. Au même instant, le rideau a bougé plus nettement et j'ai aperçu Elvire qui agitait la main pour me saluer, tout en me faisant comprendre qu'elle ne voulait pas que je lui réponde en retour. Je suis entré dans son jeu sans savoir pourquoi.

Je suis sorti de la voiture pour ouvrir la portière arrière mais Daniel, d'un geste de la main, m'a fait rasseoir.

Rien n'aurait pu laisser croire qu'il m'avait sèchement rabroué la veille au soir, et j'ai même fini par penser que j'avais rêvé ce coup de fil. Ce premier jour, il s'est montré liant et bavard. Il ne tarissait pas d'éloge sur ma conduite, alors que, honnêtement, j'avais vraiment l'impression de rouler comme un pied – une nuit d'orage, il y avait longtemps, mon permis avait pris l'eau au fond de mon sac à dos, je ne me reconnaissais plus sur la photo d'identité, je n'avais pas tenu de volant depuis plus longtemps encore, je m'accordais certaines excuses.

Bref, j'étais pour lui comme un nouveau jouet et, pendant près d'une semaine, nous n'avons fait que traverser la ville de part en part. Ce qu'il aimait, c'était que nous parcourions inlassablement le périphérique dans un sens ou dans l'autre. Il se collait alors au siège et fermait les yeux, semblant réfléchir.

J'ai fini par supposer la nature de ses pensées à la façon que son visage avait de s'animer parfois. Si par moments il paraissait aussi calme qu'une mer d'huile, il crépitait à d'autres comme un paratonnerre touché par la foudre. La gamme des tics qui lui défiguraient le visage était étendue, ce type ne donnait pas l'air de se sentir très à l'aise dans ses loques.

Nous déjeunions ensemble dans des cafétérias anonymes, il réglait l'addition puis nous reprenions la route.

Daniel donnait tous ses coups de fil à l'arrière de la voiture. Il m'était permis d'entendre la plupart de ses communications, qui tournaient souvent au vinaigre. Il était question de dossiers précieux et confidentiels, ça faisait une éternité qu'il les attendait, cela commençait à bien faire !

Je crois bien que parfois on lui conseillait d'aller se faire foutre avant de raccrocher. Ça le laissait interdit un quart de seconde, et puis il rentrait dans une colère noire, son visage devenait cramoisi et ses yeux commençaient à clignoter comme les loupiotes d'un arbre de Noël. J'en prenais alors pour mon grade : je conduisais comme un manche, ce que j'étais tout prêt à admettre, et puis que je n'oublie pas que c'était LUI qui m'avait sorti du ruisseau, que je ne cherche pas à jouer au plus fin, je serais perdant de toute façon. Ça, c'était bien plus difficile à digérer.

– Tu ne vaux pas mieux que ce péquenot. Il me doit tout, j'ai besoin de ce putain de dossier et il n'est pas prêt, il me prend pour un con, j'ai bien l'impression. N'essaie pas de faire comme lui, t'entends, et tiens bien ta droite, merde ! je t'ai déjà dit de ne pas doubler ces poids lourds.

Le temps que je les double, il fermait sa grande gueule, son visage se figeait, comme un gars qui aurait la trouille de sa vie.

– Ne t'avise jamais plus de doubler ces putains d'engins...

Mais il s'était alors calmé, à croire que la peur qu'il avait ressentie avait pompé toute son énergie.

D'autres fois, quand peut-être on lui avait conseillé d'aller se faire foutre mais sans lui raccrocher au nez, ou vice versa, il se contentait de jouer avec son cran d'arrêt en me considérant d'un air morne, le regard que je croisais alors dans la glace m'inquiétait beaucoup plus, et je ne doublais pas de camions.

Et puis il y avait toutes les fois où il me demandait de mettre ces foutues boules Quiès. Ce n'était pas très prudent de conduire avec ces trucs dans les oreilles mais j'obéissais sans rien dire.

Je ne savais pas à qui il parlait ni ce qu'il pouvait raconter, toujours est-il que ce n'était plus le même homme. Le paratonnerre devenait coq de basse-cour. Ça lui arrivait même de rire, et d'en pleurer. Que ce fût feint ou non, je ne l'ai jamais vu verser de larmes en d'autres occasions.

Dès que la communication était interrompue, il commençait à parler de la pluie et du beau temps. Je l'écoutais d'une oreille, quand je n'avais pas oublié d'ôter mes boules de cire. Dans ce cas, s'il s'en apercevait, il repiquait une colère. Sa vie m'importait-elle donc si peu ?

Suite à une de ces crises, un soir, il me dit qu'il en avait marre de moi et je dus le conduire au cours Dillon. La nuit était tombée et, avant de m'engager sur l'allée, je me pris le faisceau d'une torche dans les yeux. Le flic nous détailla en silence, sourit, puis nous laissa passer.

Le cours s'étendait du Fer à Cheval jusqu'au Château d'Eau. On ne pouvait pas rouler très vite à cause des ralentisseurs, de bons gros dos d'âne qu'il fallait négocier avec prudence, et encore, souvent le bas de caisse frottait contre le bitume. La circulation était à double sens et le manège des voitures incessant. On n'y croisait la plupart du temps que de belles intérieures de luxe dont les phares, alors qu'elles franchissaient les ralentisseurs, évoquaient des poissons-lunes bondissant au-dessus des vagues. Entre les platanes qui ponctuaient le cours des deux côtés, les places pour se garer étaient nombreuses. Au-delà, il fallait ensuite parcourir quelques mètres à pied pour aboutir à un parapet dominant une prairie, boisée en partie et qui s'étiolait jusqu'au fleuve.

Les hommes qui se tenaient collés aux arbres adressaient des regards désabusés aux automobilistes. La plupart avaient moins de trente ans et, hormis certains détails vestimentaires et une manière très particulière d'afficher leurs désirs ou leur misère, la tête penchée de côté vers les voitures qui défilaient en continu, il aurait été difficile de croire qu'ils traînaient là dans l'espoir d'une relation brève et lucrative. Je me souvenais qu'une dizaine d'années auparavant une équipe de football du coin, après une victoire, avait fait une descente sur le cours pour cogner du pédé. Il y avait eu plusieurs blessés graves, et il y aurait eu sans doute des morts si ces mêmes footballeurs à la con avaient fêté non pas une victoire mais une défaite...

– Ralentis, Simon...

J'en avais presque oublié Daniel et je sursautai à moitié. Il me tapota l'épaule.

– Rassure-toi, ça ne durera pas longtemps... Arrête-toi entre ces deux arbres...

Je me garai et coupai le contact. Le gosse qui jusque-là était adossé au platane opéra aussitôt sa manœuvre d'approche. Daniel me demanda d'ouvrir ma vitre pour qu'il puisse s'y accouder et se pencher à l'intérieur. Le gosse fit ce que Daniel attendait de lui.

Pas plus de vingt ans, à mon avis. Malgré la fraîcheur du soir il ne portait qu'un maillot noir sans manches. Ses aisselles étaient rasées et ses muscles saillaient sur ses bras d'un blanc laiteux. Son jean était déchiré au niveau des cuisses mais ses baskets à semelle compensée étaient toutes neuves. Son visage évoquait la grâce des éphèbes grecs et ses yeux, qu'on eût dit bleus, brillaient d'une joie non dissimulée, presque arrogante.

– Jamais deux à la fois, annonça-t-il d'une voix de fausset.

J'attendais que Daniel dise quelque chose, mais il tardait à se manifester.

Je n'avais rien contre ce gosse mais qu'il puisse penser que j'en étais me gênait un peu. Je détournai le regard.

– Eh ! les mecs ! Voyeurs, c'est ça ?

Il partit d'un petit éclat de rire et demanda une cigarette. D'un geste, Daniel me désigna la boîte à gants et j'y trouvai un paquet à peine entamé.

– Chouette, une Rothsman ! Du feu ?

La flamme d'un briquet jaillit à ma gauche, je me reculai légèrement et le gosse se pencha pour allumer son clope. Il aspira coup sur coup deux bouffées et rejeta la fumée en prenant soin de ne pas nous enfumer.

– Merci ! Bon, on va pas y passer la nuit, hein ? On n'est pas là pour jouer à pictionary !

Ça aussi le fit rire. J'étais sûr que c'était son truc à lui, qu'il devait le ressortir souvent. Pour toute réponse, il n'eut de ma part qu'un sourire contraint et, de Daniel, un silence aussi froid que la gelée, de celle qui fend les pierres. Le gosse cessa de rire, avec son débardeur il ne devait tout simplement pas s'imaginer en train de faire le pied de grue sous le blizzard.

– Okay, les mecs ! Prenez votre temps...

Le gosse se détacha de la voiture et s'en retourna nonchalamment à son arbre. Il reprit une pose avantageuse.

Je jetai un œil dans le rétroviseur. À quoi Daniel me répondit :

– Tu m'attends au bout de l'allée.

Daniel sortit de la voiture tandis que je remettais le contact. Lui et le gosse se dirigèrent vers le parapet. Il y avait un escalier tout proche qui menait à la prairie car je n'avais pas parcouru vingt mètres qu'ils s'étaient déjà volatilisés.

Je me garai près du Château d'Eau et attendis. Je ne pensais à rien. Après tout, Daniel savait ce qu'il faisait. L'endroit n'était pas très sûr et s'il prenait certains risques, ça le regardait. Toutefois, bizarrement, en tant que garde du corps, je me sentais un peu léger, voire frustré. Je décidai d'attendre une vingtaine de minutes avant d'aller voir de quoi il retournait.

Daniel fut de retour au bout de moitié moins. Il s'écroula sur le siège arrière et ferma les yeux. Il me dit de prendre la direction du périphérique.

– Roule, et pousse un peu la voiture... Pousse, bordel !

J'ai appuyé sur le champignon. J'ai doublé deux camions mais Daniel avait toujours les yeux clos, si bien qu'il ne me l'a pas reproché. Après, petit à petit, la circulation a perdu en densité et j'ai pu franchir la barre des cent soixante sans danger. De temps en temps, je regardais Daniel dans le rétro. Il paraissait sans vie, et n'eût été ce sourire à ses lèvres j'aurais bien cru qu'il était mort.

Je lui ai demandé si on roulerait encore longtemps comme ça. Il ne m'a pas répondu. Je n'ai pas insisté, ça faisait déjà une semaine que j'étais à son service.

9

Elvire

Quand j'eus fini de me frictionner, mon sexe était à vif. Je ressentais une douleur jusque dans le ventre.

Je n'osai me regarder dans le miroir. Je ne pleurai pas et m'étonnai de me laisser ainsi envahir par le sommeil. Cependant, je n'éteignis pas la lampe de chevet et plaçai comme d'habitude une chaise devant la porte. Si Daniel décidait de me rejoindre, je n'y pourrais rien, mais au moins ne me surprendrait-il pas. Cela avait beau le faire enrager, je m'en fichais. Et si l'araignée venait à moi, elle y viendrait toute seule... J'étais donc à l'abri. Car, me détestait-elle à ce point qu'elle cherchât, d'une part à s'échapper de sa prison de verre, d'autre part à gravir les marches qui menaient à ma chambre. De toute façon, elle était trop grosse pour se glisser sous la porte. Et pourquoi donc m'aurait-elle détestée ? Elle me répugnait, bien sûr, mais elle ne m'avait rien fait. Et puis nous avions un point en commun : toutes deux étions à la merci de Daniel, à ceci près sans doute qu'il se serait attaché le cas échéant à me donner une mort plus horrible.

Je n'entendis pas Daniel rentrer, je dormis d'une traite et me réveillai de bonne heure. Dans la cuisine, je découvris la bouteille et la bonbonne brisées au fond de l'évier, le porto avait éclaboussé jusqu'au sol, empoissé même les vitres. Au feutre, sur le carrelage, Daniel avait écrit ceci : « Tu avais mauvaise haleine hier soir. » Les larmes me montèrent aux yeux. J'étais à bout, il me poussait à bout. Je m'appuyai à l'évier en portant une main sur mon cœur malade.

Après un instant, je trouvai la force de me retourner. Mon tablier était toujours accroché à la patère, mais il n'avait plus de forme. Daniel s'était appliqué à le lacérer, une paire de ciseaux traînait encore sur la table.

Son peignoir bâillait, son pénis se dressait à moitié en une molle érection. Le sourire qu'il avait aux lèvres s'estompa lorsque mon regard glissa de son sexe aux ciseaux. Daniel ramena lentement les pans du peignoir, noua la ceinture et reprit appui sur le jambage de la porte.

– Tu as bien dormi ?... Tu me prépares un café ?

– Qu'est-ce que cela veut dire ?

– Un café, je ne te demande pas la lune...

– ÇA !

Je désignai d'une main tremblante le tablier, puis l'évier derrière moi.

– Ce n'est pas bon, l'alcool, pour ta santé...

– Ma santé !

– Un ton en dessous, d'accord ?

Je baissai les yeux. Tandis que je préparais le café, il s'approcha de moi. Sans lui laisser le temps de me toucher, je contournai la table. Je m'apprêtai à sortir de la pièce.

– Si tu le prends comme ça, tu me fourniras désormais un décompte complet de tes achats. Si tu veux de l'alcool, tu le paieras toi-même...

– Je n'ai pas d'argent.

– Je te donne cinquante francs si tu me suces pendant que je prends mon café...

– Tu es malade, Daniel. Mais qu'est-ce que je t'ai fait ?

– Tu ne le sais pas ?

Il ramassa la paire de ciseaux sur la table et la rangea dans un tiroir.

– Cinquante francs, ça te dit ?

Daniel avait rouvert son peignoir. Son sexe était maintenant plus vigoureux et je le regardai d'un air dégoûté. Daniel pouvait me prendre, quand et comme il le voulait, mais à cela, il ne pouvait me contraindre. L'acte supposait mon acceptation, même partielle, aussi réticente fût-elle. D'un autre côté, si je ne me pliais pas à son désir, je n'aurais pas d'argent pour m'acheter mon porto, et je ne me sentais pas capable de supporter mon sort sans cela. Je deviendrais folle, ou je me suiciderais...

L'idée de me suicider me vint ce matin-là. Étrange que je n'y eusse encore songé. Dès lors, il ne s'écoula plus une minute sans qu'elle me taraude l'esprit.

J'envisageai plusieurs façons d'agir.

Les somnifères auraient fait l'affaire si je n'avais souhaité une issue plus spectaculaire. Je caressais l'espoir en effet, illusoirement peut-être, que ma mort, violente, théâtralisée, susciterait en lui quelques remords.

Dans tous les cas, il me faudrait du courage, ou parvenir à me haïr entièrement.

Je pensai à me couper les veines, m'installer à son ordinateur et m'y laisser mourir. Mon sang imbiberait le bureau au point que nul détergent n'en viendrait jamais à bout et qu'il ne serait plus une seconde sans qu'il ne pense à moi. Pour échapper à mon fantôme, il lui faudrait fuir cette maison, mais où que Daniel aille, il le poursuivrait sans relâche.

Si plusieurs semaines auparavant j'avais songé à tuer sa mygale – d'un coup d'insecticide, bien que cela n'eût eu certainement aucun effet sur elle –, j'imaginais maintenant qu'elle pût m'aider à mettre mon projet à exécution.

Voilà comment j'allais procéder. Dans la salle de bains je la délivrerais. Nul doute qu'elle apprécie un espace plus élargi, comme la baignoire. En la taquinant un peu, elle me piquerait de bonne grâce. Je la rejoindrais, nue... Je visualisai la scène dans mon esprit et courus vomir dans les toilettes.

Il fallait que je m'habitue à elle, d'abord. Je passai donc de longues heures à ses côtés, assise sur une chaise. Je parvins à m'approcher tout près de la vitre. Au bout de quatre jours, j'y collai même mon visage et observai comment elle se dressait pour me défier en remuant ses pattes et ses pédipalpes velus. Ses crochets étaient aussi acérés que les griffes d'un chaton, ils couvraient en partie la bouche, qui évoquait les bourrelets soyeux d'une vulve de femme...

De nous trouver cet autre point commun finit par me la rendre plus humaine, en tout cas moins insecte. Souvent, je repensais à Arachné. L'araignée, elle, commençait à s'habituer à ma présence. Naturellement, je vis bientôt en elle un être vivant, avec un cœur, et la pris en pitié.

Sa prison était encore plus petite que la mienne, et son existence dépendait entièrement du bon vouloir de son maître. Ne voyait-elle pas en moi désormais une alliée, quelqu'un qui pourrait lui rendre sa liberté ? Oserait-elle seulement me piquer, moi, son amie ?

De la considérer comme une amie me fit sourire. Peut-être, en effet, n'y avait-il sur terre nulle forme de vie, à part mon frère, qui méritât crainte et dégoût. J'en arrivai même à lui reconnaître une certaine élégance, ce qui participa à effacer complètement cette peur absurde, atavique, que je ressentais jusqu'alors. Bref, je renonçai à l'associer à mes projets. Et je n'avais plus peur, non, Daniel ne pourrait plus m'impressionner par son intermédiaire. Sur un point il se trompait : mon aversion pour sa créature n'était pas définitive. Mais je continuerais à le lui faire croire. Plus rien ne serait comme avant. Enfin, jusqu'à ce que je mette fin à mes jours.

Comme je le faisais maintenant depuis à peu près une semaine, je m'installai à la fenêtre au moment où Simon vint chercher Daniel. Comme souvent, il dut attendre une heure ou deux et sans perdre patience, du moins ne le montra-t-il pas. Certains jours, il s'absorbait dans la lecture d'un livre ou d'un magazine, sans toutefois manquer de temps à autre de fouiller de son regard chaleureux les rideaux de ma chambre.

Tant que je savais Daniel dans son bureau ou l'antichambre, je ne me risquais pas à me montrer, mais dès lors que j'entendais la porte du hall s'ouvrir, je tirais le rideau et faisais un petit signe de la main à Simon.

Si au début je ne désirais ainsi lui manifester qu'un peu de sympathie, il me semblait maintenant qu'il y avait dans mon geste bien autre chose. Simon n'était pas insensible à mes charmes et j'allai, un matin, jusqu'à me présenter à lui sans autre vêtement qu'une nuisette transparente, avec rien dessous. L'image que je lui offris fut fugace, j'avais agi comme par inadvertance, mais Simon sourit, d'un sourire qu'on eût dit posé sur ses lèvres comme une promesse.

J'ignorais encore mes intentions. N'avais-je peut-être aucune intention particulière, sinon celle de pouvoir croire que j'étais encore capable de susciter du désir chez un homme qui n'était pas mon frère, ou choisi par lui. Je me reprochai après coup ce moment d'égarement. Simon n'avait pas dû toucher une femme depuis longtemps. Ce n'était pas gentil de ma part. Mais peut-être avait-il rattrapé le temps perdu depuis le jour où je l'avais aidé à se rhabiller. Avec une autre.

10

Julia

Depuis ce jour-là, le cactus n'a pas changé de place. Il trône toujours sur la table basse devant le téléviseur. Au moins suis-je à l'abri du cancer du sein ! Ma production de mélatonine doit être égale. Pour ce qu'elle doit me servir...

Parfois, je le regarde et je pense à Daniel. Souvent, je n'ai pas besoin de le regarder pour penser à lui. Je n'ai pourtant pas l'impression qu'il me hante. Pour une partie de moi-même, il est bel et bien mort, et pour cela il ne fut pas nécessaire que je le tue mentalement. L'autre partie cherche à comprendre, à éclairer les zones d'ombre.

Jacky m'a téléphoné tout à l'heure. Il ne se remet toujours pas de la mort de Georges. Jacky aimerait me voir mais je ne peux rien pour personne. En conséquence, il me reproche mon indifférence à son égard, alors que ce n'en est pas, je ne cherche même pas à me protéger. En fait, je me demande ce que je suis en train de foutre.

– Tu me renies, Julia.

– Ce n'est pas un reniement.

– Alors explique-moi pourquoi tu te dérobes, je ne t'ai vue qu'une seule fois depuis Georges.

Il murmure *depuis Georges* comme on évoquerait une borne après laquelle il n'y aurait plus d'avenir. D'une certaine façon, il a raison. Bien qu'il faille y croire encore, notre avenir est relatif. Nous sommes devenus un peu les fantômes de Georges et de tous ceux qui nous ont précédés dans la tombe. Pour les hommes dont le cœur s'est arrêté de battre, il n'existe que cet au-delà, cette postérité troublante, permise. Et, en somme, l'agonie de Georges se poursuit après sa mort physique, à travers nous. Sa mort réelle ne surviendra que lorsque le dernier souvenir que l'on a de lui s'éteindra, avec Jacky, avec moi. À souhaiter de n'être pas les derniers à se rappeler. Ça finira pourtant bien par arriver, *avec le temps.*

Je n'ai pas pleuré après le départ de Daniel et cela n'étonnera personne. Ma frustration n'en fut que plus grande. J'ai cherché à m'apitoyer sur moi-même mais, pas plus qu'aujourd'hui, je n'en fus capable alors. Comme signe d'une émotion intense, je ne connais à mon visage que ce fugace éclat qui éclaire l'œil de ce coq que l'on destine au combat. J'aime à le croire. J'aimerais vraiment qu'il en soit toujours ainsi.

Je me suis levée. J'ai revêtu les nippes de mes nuits équivoques. Jeans. Pantalons larges. Blouson d'aviateur. Des chaussures d'homme. Seule coquetterie : une casquette de chez Brosson. Peut-être parce que dans le miroir, l'espace d'un court instant, mes yeux avaient semblé s'obstiner à me faire femme encore, je les ai masqués de lunettes à verres réfléchissants. J'ai bombé le torse et m'en suis allée dans la nuit. Que Daniel aille au diable. J'avais besoin d'un homme, j'en trouverais un. Qui me prendrait sans me poser de question. Qui me prendrait parce que j'avais une sérieuse envie de me faire tirer.

Je connaissais plusieurs endroits. Un terrain vague quelque part en banlieue, mais pour m'y rendre j'aurais dû prendre la voiture et j'avais envie de marcher. Le cours Dillon, où je risquais une mauvaise rencontre, le couteau sous la gorge. Le Zanzibar enfin.

Un rade, rue des Sept-Troubadours. J'y pénétrai alors que l'accès n'était réservé qu'aux hommes, exception faite d'une soirée dans l'année, à la Saint-Sylvestre.

Gildas servait au bar. Il m'adressa un clin d'œil chaleureux et je m'installai au comptoir.

– Content de te revoir, Julius, ça fait quoi ? Deux mois ?

– Je suis amoureux !

– T'es une drôle de...

Gildas s'est repris avant de lâcher le mot à proscrire. Il a jeté un bref coup d'œil à ma droite, où deux types d'allure anodine se dandinaient contre le zinc, se tenaient les mains en pépiant comme des perruches.

– Toujours pareil, ça ne change pas, tu ne voulais pas revoir la déco ?

Un temps, Gildas avait pensé ôter une partie des miroirs qui recouvraient entièrement le sol, les murs et le plafond, ou tendre simplement des tentures. Un mec avec la bête immonde qui lui ravageait le visage n'avait pas envie qu'on lui rappelle sa maladie, pas ici, pas au Zanzi. Enfin, c'était le point de vue de Gildas. Cela partait d'une bonne intention mais n'empêche, il avait laissé le décor en l'état. Qu'il y eût peu de monde signifiait sans doute qu'il est préférable d'allier toujours le geste à la parole. Le Zanzi avait connu de folles soirées, si folles qu'il fallait courir sur le trottoir pour reprendre sa respiration. Ces temps étaient révolus. Pas mal étaient morts, les autres la jouaient soft et légitime, quelques pédés traînaient encore, une boîte de préservatifs dans la poche.

Seule nouveauté : un autoportrait d'Antonio Saura juste au-dessus de la caisse enregistreuse. Pas le genre de chose à vous rassurer sur vous-même. Ni sur l'autre.

Gildas astiquait le comptoir, lequel était en verre transparent, si bien que je voyais tout le bas de son corps, ses déhanchements sans manières, les rondeurs d'un pénis qu'opprimait le cuir d'un pantalon taillé pour plus petit que lui.

– Pas beaucoup de monde...

– Tu as lu les journaux ?...

– Oui.

– Je te sers quelque chose ?

– Un barbotage.

Je le regardai sortir une coupe du frigo. Il avait dû l'y mettre à mon insu ou son sixième sens l'avait averti que je viendrais ce soir. Gildas prit le temps de glisser une compile de Dalida dans la platine puis revint s'occuper de moi. En trois mouvements, il finit de me préparer mon cocktail. Il sucra la coupe, y versa le cointreau puis le champagne. Avant que je ne la porte à mes lèvres, il déroula un éventail de toutes les couleurs et le fixa tant bien que mal au bord du verre.

– Une paille ?

– Tu veux quoi ? Me soûler ?

Gildas éclata d'un petit rire, mais le cœur n'y était pas. Il s'accouda au comptoir et me considéra un instant.

– Les affaires ne vont pas très bien, tu sais. C'est

pas bon, tous ces pédés qu'on égorge. Comme si on avait besoin de ça...

– Bref, tu veux m'expliquer pourquoi tu ne me paieras pas ce premier verre...

– Je rigole pas, Julius, je rigole pas.

Dalida chantait qu'elle attendrait le jour et la nuit, qu'elle attendrait toujours son retour... Tandis qu'il me parlait, un gars s'était installé à ma gauche, un gars d'une trentaine d'années à qui j'avais connu deux amants, presque des gosses, qui étaient tous deux morts. Je ne pouvais m'empêcher de penser qu'il les avait tués.

– À chacun ses méthodes...

Gildas comprit au quart de tour.

– Tu ne peux pas comparer, murmura-t-il, à l'époque il... Oh ! t'as sans doute raison...

Le gars commanda un gin tonic mais Gildas fit la sourde oreille. L'autre réitéra sa demande en faisant tinter une pièce sur le comptoir. Gildas tourna vers lui un regard sombre.

– Prends exemple sur Dalida, elle attend toujours, elle en est même morte !

– Déconne, Gildas.

– Gildas ne veut plus voir ta sale gueule au Zanzi.

– C'est de la ségrégation.

– Non, de la prévention, allez, décampe...

Les deux types qui se tenaient tendrement les mains semblèrent satisfaits du résultat. Le gars mit les bouts, et il avait sitôt franchi la porte qu'ils papotaient à nouveau.

– Je comprends que tes affaires n'aillent pas très bien. Tu as perdu un client, Gildas.

– Un bon client.

– Tu m'as l'air d'être à cran, tu me parais un peu surmené, tu devrais demander à ton petit copain de te donner un coup de main.

– Il m'a largué. Il pensait que j'étais jaloux, je voulais juste le protéger. Trop jeune, trop con.

Quand Gildas avait été éconduit, il devenait pathétique, il m'agaçait.

Je n'écoutais plus Gildas mais, sans cesser de le regarder, les deux tourtereaux qui se caressaient toujours avec ardeur. Leur conversation portait sur l'utilisation de fluides corporels dans l'art contemporain. Tour à tour, ils évoquaient un certain Andres Serrano, qui photographiait ses propres éjaculations, ou Jeremy Ridgway et David Bennett, qui mélangeaient du sperme à la composition de leur peinture. Ridgway et Bennett se présentaient nus dans leurs autoportraits exposés récemment à Liverpool, affirmait l'un. Tu te rends compte, s'étonnait l'autre à propos de Serrano, ça doit être coton, parce qu'on n'a que deux mains.

– Andres doit être très habile de la main gauche ou, si ça se trouve, il utilise un pied.

– Si bien qu'il le prend deux fois !

De quoi susciter des vocations. Sûrement une idée à soumettre à *L'Écho des Savanes.*

– ... des bocaux, ce mec était dingue. Julius !

– Quoi ?

– Tu ne m'écoutes pas, Julius.

– Excuse-moi. Tu me disais ?

– Ce mec, celui qui *nous* égorge ! sûr il m'en rappelle un autre, y'a dix ans sur la côte, il traînait autour des squats et les négociait à prix d'or.

– Mais de quoi tu parles ?

– D'un malade, un pédé genre refoulé, qui achetait des queues, Julius, des queues. Je te disais que ce mec devait sans doute les mettre dans des bocaux, il avait dû s'en prendre une un jour et l'avait pas supporté, et sa raison avait chaviré. Bien sûr, le nôtre, c'est pas pareil, mais j'dois pas être loin de la vérité.

Je demandai à Gildas de me resservir un barbotage.

– Qu'est-ce que tu fais après ton service, Gildas ?

– C'est une proposition ?

– Je crois que tu as besoin de tendresse...

– Ouais, mais...

– T'y verras que du feu, je te promets, et puis j'ai pas l'impression que tu sois du genre à tenir les draps.

– Bien vu.

– Et puis, t'as pas autre chose ?

– Quoi, autre chose ?

– Dalida, ça commence à me barber...

– T'es vraiment pas à la page, mais puisque c'est toi qui me le demandes...

11

Simon

Je n'ai pas acheté le journal, non que Daniel m'en aurait empêché, mais je craignais d'y lire l'évocation d'un meurtre, le dernier en date d'une longue série. Dès lors, Daniel inocula en moi un sentiment nouveau : la lâcheté.

Si mes soupçons s'étaient confirmés, j'aurais dû reprendre ma liberté, ma vie d'errant, et il ne faisait aucun doute que cela aurait signifié mon arrêt de mort. Daniel n'aurait eu de cesse que de me traquer, je pressentis cette menace dans son sourire à l'issue de cette folle nuit, lorsque l'aiguille a sombré dans le rouge, et que faute de carburant, d'une station ouverte, je l'ai raccompagné rue Ozenne. Il devait être quoi ? Cinq ? Six heures du matin ? À l'idée de me rendre ensuite chez les flics, que je n'ai jamais portés dans mon cœur, j'ai préféré le sommeil. Réparateur. Complice. Ce que je suis devenu.

Je n'ai pas acheté le journal et j'ai attendu comme chaque jour, docile, qu'il daigne se rappeler ma présence.

Il n'était pas midi lorsqu'Elvire a tiré les rideaux

de ce qui devait être sa chambre. Elle a feint de s'étonner en me voyant, et reculé d'un pas, trop lentement, moins qu'il ne fallait pour que je ne distingue plus son ventre, ses seins, son visage... Elle n'était déjà plus comme au saut du lit. À cette soudaine impudeur, j'assimilai le désir, une préméditation.

J'ai glissé une main dans ma poche. À travers le tissu de mon velours côtelé, j'ai tiré sur l'élastique de mon slip pour rendre moins douloureuse mon érection. Elvire me faisait toujours le même effet, je n'étais pas de marbre, ma libido était intacte, et les privations n'expliquaient pas tout : elle me plaisait vraiment.

Aussi venait-elle de me rappeler comment était foutue une femme, que c'était bigrement chouette à regarder. Et si, par son attitude, elle ne me montrait pas que j'avais toutes les chances de décrocher la timbale, alors je n'y entendais rien à rien.

Distraitement, ma main coulissait sur mon sexe. Si je n'avais appréhendé que Daniel me surprenne en mauvaise posture, je me serais soulagé un bon coup... Elvire ne se serait aperçue de rien, et puis même ! Quel genre de femme serait-elle donc pour déplorer qu'un homme se masturbe pour elle ?

– Alors, tu bayes aux corneilles ?

Vautré déjà sur la banquette, Daniel me tapotait l'épaule. Je ne l'avais pas entendu approcher. Je sursautai, mon regard allant aussitôt au rétroviseur où il me toisait, puis à la fenêtre : Elvire avait disparu.

Je revins au rétro et soutins son regard quelques secondes. Son visage était indéchiffrable. Peut-être avait-il comme moi aperçu sa frangine à poil. Peut-être pas. Quant à savoir s'il m'avait surpris à la reluquer... Je piquai un fard ou me vidai de mon sang. Qu'importe. Dans un cas ou dans l'autre, je commis les mêmes maladresses. Je mis le contact et passai la première. La voiture eut un hoquet, cala.

– Le frein à main, Simon...

Je bredouillai une vague excuse, prétextai les quelques heures de sommeil qui manquaient à mon compteur.

– Je n'ai pas pensé à te dire de venir plus tard. Fais en sorte de ne pas nous envoyer dans le décor.

Un insecte englué dans une toile d'araignée.

J'ai pris soin de ne pas doubler de camions.

Autour de quatorze heures, Daniel donna quelques coups de téléphone qui n'eurent aucun effet fâcheux sur son humeur. D'ailleurs, il sourit, à moi ou à je ne sais quoi. On ne lui avait ni raccroché au nez ni dit d'aller faire un tour au diable vauvert. En supposant qu'il avait appelé son dentiste ou son toubib, hommes courtois et civilisés par définition, Daniel avait le contentement facile... De ses conversations je n'avais rien retenu puisque je ne les avais pas écoutées.

Puis il m'intima l'ordre de foutre de la cire dans mes oreilles, composa un numéro sur son téléphone mobile mais raccrocha presque aussitôt. Je décelai du désappointement dans son regard. La chair se mit à trembler autour de ses yeux. Peu de temps. Daniel était dans de bonnes dispositions.

Il était déjà dix-sept heures, ou un peu plus tard. Je roulais avec une décontraction qui m'étonnait, Elvire semblait très loin dans mon souvenir. De tout l'après-midi, Daniel ne m'avait gratifié d'aucune remarque désobligeante. Cela ne pouvait durer.

– À propos de l'argent que tu me dois...

– Hein ?

– Oui, tes frusques, je pense que tu as compris qu'il ne s'agissait que d'un prêt... net d'intérêt, je te rassure...

– Pas de problème.

– Ma sœur m'a dit que ça lui avait coûté 1 480 francs, c'est bien ça ?

Ma réponse tint en un silence et un brusque changement de vitesse.

– Bien, alors arrondissons la somme à 1 500, je te propose cinq mensualités de 300 francs, ponctionnées directement sur ton salaire, on s'entend sur le principe ?

– Ça baigne...

Et j'étais sincère. La dragée avait du mal à passer mais Daniel venait de me rappeler que je ne désirais rien devoir à personne, jamais. Un principe aussi, que j'avais failli oublier, qui m'avait mené là où j'étais. Miracle si j'y étais parvenu, tout compte fait.

Je ne quittai pas la rive droite et Daniel ne m'en fit pas reproche. Au-delà du fleuve, il y avait le cours Dillon, et plus angoissante une éventualité que je ne parvenais pas à admettre. D'autant qu'il n'était pas exclu que je déraille encore. Ne s'agissait-il peut-être que d'une affabulation de ma part, que ne corroborait qu'une silhouette dessinée hâtivement à la craie sur le sol, rue du Fourbastard.

Dans le rétroviseur, j'avais maintenant un homme qu'on eût dit touché par la grâce. Un agneau. Une bonne pâte. Un être d'exception à qui on aurait donné le bon Dieu sans confession. Enfin, un type que l'on n'imagine pas une seconde avec du sang sur les mains.

Daniel me laissait conduire à ma guise. Lui importait peu la destination. Je pris même la liberté de me garer un moment sur un parking afin de griller tranquillement une cigarette. Je m'habituais à ses silences, à cette façon qu'il avait de se refermer longuement sur lui-même. Un rocher que délaisse longtemps l'Océan, pensais-je. Il pouvait aussi d'un moment à l'autre me prendre au dépourvu.

– Tu te plais en ma compagnie, Simon ?

Car, disait-il, j'aurais à me satisfaire de sa présence des journées entières, que cela me plaise ou non, alors autant que ce soit avec plaisir. Il n'avait rien du mauvais bougre. Fallait juste savoir comment le prendre. S'il lui arrivait de faire le mal, c'était sans le vouloir, il le regrettait tout de suite après, il fallait qu'on lui pardonne. Bon Dieu, je ne mens pas, un soir j'en eus presque les larmes aux yeux. S'il avait été assis à côté de moi, je l'aurais pris dans mes bras. À son regard, je crus comprendre qu'il le souhaitait tout en le redoutant. Ma vie se compliquait.

Je conduisais toujours au hasard. Nous étions dans le quartier de la gare, à la tombée de la nuit. Des clodos arpentaient le bitume. À vivre comme un salarié, j'en avais oublié la misère, qu'on en était à qui perd perd, jusqu'au bout, dans les grandes largeurs. Que pour beaucoup c'était sans retour, aussi sûrement que la gangrène, le chancre mou, le désespoir. Que la chute après la chute, ça existe, ça n'a pas de nom, c'est juste avant la mort mais ça l'est déjà, ce n'est plus la vie mais ça l'est encore. C'est tenir à un fil lorsque le fil ne se voit plus à l'œil nu.

– Tu reviens de loin, hein, Simon ?

– Si je dois te remercier...

Et puis, de but en blanc, avec une voix qui n'en était pas une, du moins si froide qu'elle ne paraissait pas humaine :

– Tu te tirerais bien ma frangine, n'est-ce pas ?

Cela m'a coupé le souffle. Je n'ai pas perdu le contrôle de la voiture, et pour cause : nous étions à l'arrêt. Je n'aurais pas agi autrement si l'acte avait déjà été consommé, s'il m'avait surpris à culbuter Elvire. Penser l'acte, ainsi que je le faisais, n'était-ce pas déjà le commettre ? Et je m'étais imaginé dans ses bras, oui, pas plus tard que la veille, et Daniel n'était pas sans avoir décelé le trouble sur mon visage, et la cause de ce trouble : sa frangine à poil à la fenêtre de sa chambre.

– Je t'ai posé une question, Simon.

– Si tu me demandes si elle est séduisante...

Son rire me glaça jusqu'à la moelle. Qu'avais-je donc dit de risible ? Elvire n'était pas une belle femme, elle brûlait le regard, le mien.

Daniel fermait les yeux tout en parlant, un rien menaçant. Comme on se confesse. Il adopta ensuite à deux ou trois reprises ce même ton de confidence, et chaque fois cela me laissa une impression désagréable, comme s'il s'était déchargé sur moi d'un fardeau.

– Tu dois te méfier d'Elvire. C'est une jeune femme instable. Elle ne ferait que t'attirer des ennuis. Elle ne connaît rien de la vie, du moins la voit-elle comme elle se l'imagine, si bien qu'elle la connaît autrement, mais pas comme nous, Simon, pas comme nous...

J'aurais voulu ne rien entendre de ce qu'il me disait, mais c'était plus fort que moi : je l'écoutais, chaque mot entrait en moi plus sûrement qu'une aiguille. Longue et glacée.

– Elvire a toujours été dans son monde, seule. Elle se raconte des histoires qu'elle t'affirme vraies ensuite, et elle y croit, elle y croirait encore sous la torture. C'est comme une maladie mentale, elle porte un nom, non ?

Juste pour s'assurer que j'étais toujours à l'écoute. Je l'étais mais je ne lui répondis pas.

– Un jour, tu vas rigoler, elle a fait croire à la maîtresse d'école que notre mère était en train de tuer notre père, par le poison. L'histoire a fait grand bruit, un véritable scandale étant donné la position de notre famille. Mère en a beaucoup souffert, elle ne supportait pas les ragots. Père, lui, aux petits maux, a choisi les grands remèdes : il a retiré Elvire de l'école, il a engagé un précepteur. Une semaine plus tard, ce jeune type couchait avec Mère, enfin, je te livre la version de ma sœur... Père traversait une mauvaise passe et le gars a payé le prix de ses déboires : trois mois d'hôpital. Une chance qu'il n'ait pas porté plainte... Mère est morte d'abord, puis Père. Il m'a confié le soin de veiller sur Elvire, à moi de décider ce qui serait bon pour elle. Je dois t'avouer, Simon, que je ne parviens pas encore aujourd'hui à lui céder la part d'héritage qui lui revient de droit. Elle partirait de la maison, je n'aurais plus aucune prise sur elle, et alors...

12

Elvire

Dans mon rêve, l'araignée était devenue mon amie. Elle était câline, complice. Je l'appelais ainsi : Complice. Je l'emmenais partout avec moi, elle ne me quittait plus, dehors je la promenais comme un petit chien, avec une laisse, et elle obéissait de bonne grâce. Nous étions très proches, je lui confiais mes douleurs. Un soir que je pleurais, nue sur mon lit, elle cherchait à me consoler, prudente, attentive à ne pas réveiller la vieille peur. Entreprenante, elle courait sur mon ventre. J'ouvrais les jambes et elle entrait en moi... Dès lors je la portais souvent dans mon ventre, je mesurais chacun de mes gestes pour ne point l'effaroucher. Si pour une raison ou une autre, je m'agitais, elle se rappelait à mon bon souvenir, remuait doucement ses pattes, et je ressentais un délicieux chatouillement au bord de la vulve. Elle en sortait pour manger et y retournait pour se mettre à l'abri. Je savais désormais de quoi elle avait peur. Nous avions la même angoisse. Tant que nous aurions cela en commun, nous serions comme deux sœurs, moi un peu plus grande, d'aspect plus humain, elle tout aussi sensible, charmante. Dans mon rêve, un soir, Daniel entrait dans ma chambre et me convoitait longuement dans ma nudité. Son pénis me semblait très gros, trop gros pour pénétrer en moi si l'araignée s'y trouvait déjà, ce qui était le cas. Sans cesser de m'observer, il répétait, presque maladivement : « Où est-elle ?... Où est-elle ? » Puis il grimpait sur le lit, m'écartait brusquement les cuisses, et sans caresse, sans me stimuler, il me prenait, en un violent coup de reins, et soudain je le voyais grimacer, hurler de douleur. Il se retirait de moi et je le découvrais enfin vulnérable, mortel. Il roulait sur le sol et je me redressais pour assister à son trépas. L'araignée collait à son sexe comme une tumeur. Elle le piquait et Daniel perdait le souffle, terrassé. Dans mon rêve...

Je me réveillai en sueur. Je mis du temps à recouvrer mes esprits. Quelque crainte idiote me fit sortir de ma chambre, dévaler les escaliers et me rendre dans le bureau de Daniel.

L'araignée était toujours sous sa pyramide de verre et je soupirai, rassurée. Je franchis ensuite les quelques mètres qui me séparaient de la chambre de Daniel. Il dormait. Vivant, il était toujours vivant. Je regardai à nouveau l'araignée et pensai...

Je retournai à la pyramide. Son extrémité s'ouvrait tel un couvercle. Je déverrouillai le cône, glissai une main à l'intérieur. La mygale se dressa sur ses pattes arrière et agita ses pédipalpes. Je retirai ma main et secouai la tête, passablement déçue. Tu ne m'as pas reconnue, c'est cela ?

Il était huit heures trente. Je m'habillai et me rendis à l'épicerie située à l'angle de la rue Ozenne et de la Grande-Rue Nazareth. J'achetai une bouteille de porto avec mes cinquante francs et retournai dans ma chambre.

Je plaçai la chaise devant la porte. Je tournai en rond dans la pièce, complètement nue. Je sirotai le porto et ouvris les rideaux lorsque Simon arriva dans la cour. D'abord, il ne fit pas attention à moi. Il s'installa au volant de la voiture, comme chaque jour, et parut sommeiller. Je le laissai à ses rêveries.

Vers midi, lorsque j'eus achevé la bouteille, je me présentai à nouveau à la fenêtre. Il regardait déjà dans ma direction. Je me reculai légèrement, plus par surprise que par pudeur. Je n'avais plus de scrupules. Qu'à loisir il me détaille, me dévore. Je n'adoptai pourtant pas de pose lascive. Qu'il m'accepte telle que j'étais. Abandonnée, propre à assouvir ses désirs. Soudain, je me sentais belle.

J'étais convaincue de son ardeur, déjà dans la salle de bains, le jour de notre première rencontre... Oh Simon ! Garde tout pour moi, je t'en prie, attends, tu en seras récompensé, comme cela a dû être long dans la rue, sans une femme à aimer... Je me touchai et le pardonnai d'en faire autant. Sa gêne ne m'échappa pas. J'en nourris un peu de dépit. Si seulement Daniel...

Daniel était au milieu de la cour. Son regard vagabonda sur la façade et se fixa sur ma fenêtre. Je me perdis en conjectures quant à la nature de son sourire. Je regagnai l'ombre, m'assis au bord du lit. J'attrapai la bouteille et parvins à en extirper encore quelques gouttes de porto, j'introduisis la langue dans le goulot et m'aperçus que j'étais soûle et que l'estomac me tenaillait.

Complice ne m'avait pas reconnue, ou alors avait-elle voulu m'économiser un geste inutile, qui m'en coûterait. Je téléphonai aux urgences, il fallait que je sois sûre de mon fait, si d'aventure... Je pris un ton affolé. Je demandai un médecin.

– Docteur, je vous en prie, mon mari vient d'être piqué par une araignée !
– Quel genre d'araignée ?
– Cela va vous paraître grotesque mais...
– Je vous écoute, madame.
– Une mygale, mon mari les élève...
– Espèce ?
– Theraphosa leblondi, je crois...
– Votre mari sacrifie à la mode, c'est en effet une des plus redoutables, j'ignore ce qui passe parfois dans la tête des gens...
– Docteur !
– Quel âge ?
– Qui ?
– Votre mari, de qui voulez-vous que je parle ?
– Trente-trois ans.
– Alors il ne craint pas grand-chose, à moins qu'il ne soit cardiaque ?
– Je suis cardiaque !
– Entendons-nous bien ! vous me dites que c'est votre mari qui a été piqué et ensuite...
– Bien sûr, bien sûr, je n'ai plus toute ma tête, vous ne pouvez pas savoir comme je me sens seule, sans personne à qui parler. Autrefois...
– Madame ! Votre mari est-il cardiaque ?
– Je ne le pense pas.
– Alors, surtout, ne vous faites pas trop de souci, la morsure de la mygale n'est pas plus à redouter pour l'homme que la piqûre d'une guêpe. Vous avez un papier et un crayon ?

Il me donna les renseignements nécessaires pour me rendre au centre anti-poison, que je notai mentalement, que j'oubliai aussitôt.

– Menez-y votre mari, agissez dans l'heure. Quant à vous, gardez vos distances avec ces attachantes bestioles, même dans le pire des cas la mort n'est pas instantanée, je vous passe les détails...

Je raccrochai.

J'allais tuer Daniel, ne me suiciderais pas, Complice ne me serait d'aucune aide, il me restait à trouver la manière.

Tuer Daniel...

Tuer Daniel sans que l'on me soupçonne...

Je m'occupai ainsi des heures, des journées entières, à échafauder quelques façons d'entrevoir mon retour à la vie, par sa mort, un homicide, un parricide... Je devais admettre qu'en le tuant, j'annihilerais une part de moi-même, la mauvaise part, ce cancer dans mon cœur. Que dirait Mère si elle avait encore toute sa tête ? Ne la réduirais-je pas plus encore si je venais à sacrifier son fils à mon bonheur ? Se rappelait-elle avoir encore un fils ? Dans l'affirmative, se doutait-elle de sa cruauté ? Me pardonnerait-elle ? La chair de sa chair. La douleur de ma douleur.

Je cherchai et ne trouvai pas la manière. Non pas que je manquasse de courage. Mais l'acte même m'inspirait de la répugnance. Pouvais-je seulement concevoir lui griffer le visage, l'énucléer, l'émasculer...

Ou alors devais-je imaginer les modalités d'un meurtre selon ma nature. Un meurtre de femme. Où la délicatesse le disputerait à l'ironie. Je courrais bien sûr un risque, celui qu'il ignore mon rôle dans sa mort. Non, d'une manière ou d'une autre, je parviendrais à lui faire comprendre, lorsqu'il serait trop tard, par un sourire, qui en dirait beaucoup plus long que tous les motifs que je me garderais bien de lui exposer. Il les connaissait. Un sourire, oui, suffirait.

Je ne cessai de tuer Daniel à intervalles réguliers

pendant plusieurs jours. Tant et si bien qu'à chaque fois qu'il revenait à la maison, je m'étonnais qu'il fût encore en vie.

Pressentit-il mes intentions ? Étrange tout de même que ce soudain changement dans son attitude y correspondît. Il semblait m'éviter désormais. Aurais-je souhaité l'attirer dans un piège que je n'y serais pas parvenue. Daniel m'épargnait même ses remontrances. Je m'étonnai un matin de trouver deux billets de cent francs sur la table de cuisine. En contrepartie de quoi ? me demandai-je.

Non, Daniel ne méritait pas la mort, mais pire que cela. Qu'il cherche encore à m'amadouer et il en serait honnêtement récompensé.

J'étais dans la salle de bains à me préparer pour la nuit. Machinalement, j'allais prendre ma pilule quand je me ravisai. J'observai longuement la plaquette. J'étais à huit jours de mes règles et je prenais depuis trop peu de temps ce contraceptif pour manquer au rituel un seul soir. Daniel avait exigé que je la prenne et s'assurait que je lui obéissais chaque fois qu'il me rejoignait dans ma chambre.

J'ôtai l'opercule et me saisis du comprimé. Mais plutôt que de le poser sur ma langue, je le fis rouler entre mes doigts quelques secondes avant de le jeter dans le lavabo. Je me rinçai les mains. Je souris au miroir. J'avais trouvé enfin la manière, une autre manière. Qu'il me féconde et Daniel mettrait au monde un monstre. Quelque chose qu'il répugnerait à regarder comme son propre fils, tant je souhaitais qu'il ressemble à ce qui était le plus abominable en lui.

Trois soirs de suite, je reproduisis le même cérémonial avec une satisfaction identique. Daniel ne revint dans ma chambre que le soir suivant. J'agis comme à l'ordinaire. Je ne ressentis nulle crainte, ou alors une crainte atténuée, lorsque les pieds de la chaise raclèrent le parquet et la porte s'ouvrit. Je dissimulai une joie indécise dans un simulacre de grimace. En retour, Daniel me sourit avec condescendance.

Lorsque Daniel s'assit au bord du lit, ainsi qu'il l'aurait fait peut-être si j'avais été gravement malade, je pensai un instant que, sur ses gardes à cause de je ne sais quelle prémonition, il réduirait de nouveau mes projets à néant. Je gardai une attitude de soumission pour ne pas éveiller sa vigilance. Je crispai les mains sur le drap. Ses yeux plongèrent dans les miens. Je soutins peu de temps son regard et finis par rougir. Daniel avait dû passer un long moment avec Complice car tout son corps exprimait le plus grand calme, comme vidé de ses miasmes. Je sentais qu'il allait me regarder ainsi un moment et puis repartir, et il ne devait pas repartir...

Je rompis le silence par des paroles qui habituellement le mettaient hors de lui.

– Daniel, dis-moi, quand accepteras-tu que je revoie maman ?

Ses yeux clignotèrent à peine. D'un geste, vif, il passa une main sur ses joues mal rasées et je m'esquivai comme pour une gifle.

– Tu tiens à me mettre en colère, tu n'y parviendras pas ce soir, je vais te faire un aveu, tel que tu me vois je suis mélancolique...

– De quoi ?

– De rien de précis, une mélancolie qui ne semble pas avoir de motif. Quelquefois je me sens las...

Je sentais qu'il s'éloignait. Cela arrivait parfois, de plus en plus souvent depuis quelques mois. Peut-être avait-il trouvé un exutoire quelconque. À bien y penser, oui, je pouvais affirmer un changement dans son attitude. Naguère, sa colère à mon endroit ne connaissait nul répit, elle s'exerçait sur moi pendant des semaines et des semaines. Désormais, elle s'exprimait par tranches de quelques jours, au bout desquels se passait un événement que j'ignorais, qui cédait la place à une phase intermédiaire, une phase de courte durée certes, mais où j'avais la paix. Je ne voulais pas qu'il me laisse en paix ce soir...

– Tu me ferais croire que tu as encore du cœur !

Daniel me dévisagea durement. Anticipant sur un geste de colère de sa part, je m'écartai de la place que j'occupais jusqu'alors sur le lit et, volontairement, laissai le drap glisser sur mes seins. Je m'immobilisai, telle une martre surprise par les phares d'une voiture.

– Ne me frappe pas !

D'une main, il tirait déjà sur le drap, lentement, jusqu'à mes hanches, mon sexe. Ses doigts s'enfoncèrent entre mes jambes, que je serrai très fort. Qu'il ait à lutter, il n'en serait que plus sauvagement déterminé, tant il détestait qu'on lui résiste.

– Tu as une dette envers moi, Elvire...

– Tes deux cents francs, c'est ça ? Tu crois qu'il t'est permis de tout acheter, hein ?

Je feignis de sangloter. Je n'eus pas à me forcer : Daniel continuait à me faire réellement peur.

– Qu'est-ce que tu en as fait ?

– J'ai acheté un nouveau tablier, et du porto, si tu veux savoir ! Dis, quand accepteras-tu que je revoie maman ?

Il me pinça l'intérieur de la cuisse et j'écartai les jambes.

– Mets-toi à genoux sur le lit, Elvire...

J'obéis.

Je priai pour que je tombe enceinte.

Je pensai à l'araignée tapie en moi.

13

Julia

Je n'ai pas roulé des hanches, ça ne l'aurait pas ému, je suis restée virile... J'ai pris ma coupe et me suis installée à une table près de la piste de danse. Gildas avait changé de disque mais je préférais encore Dalida. Je n'étais pas si larguée que cela, tout compte fait...

Deux pétanqueurs se trémoussaient sur des morceaux tels que « Étienne », « À cause des garçons », ce genre de chose. Le plus grand se déhanchait comme on torée, ses cheveux étaient teints et retombaient sur son visage comme un coulis de framboise sur un panache de chantilly. Le plus petit était aussi plus introverti, sans rien qui pût le distinguer d'un autre mec dans la rue, et on sentait que les regards d'autrui lui importaient peu.

Tous deux tournoyaient sur la piste, tenant chacun le bout d'un mouchoir blanc. Parfois, Coulis de Framboise tirait d'un coup sec sur le mouchoir, le faisait tourner lentement au-dessus de sa tête avant de le laisser choir par terre. Quelques secondes, ils dansaient alors en regardant le mouchoir, comme s'il se fût agi d'une colombe blessée, puis, avec componction, son partenaire s'agenouillait pour le ramasser. L'un ou l'autre, à l'occasion, se contemplait dans les glaces et commentait ses courbettes. Quand Gildas mettait en route le strobo, ils pépiaient à l'unisson.

Gildas me lançait de petits coups d'œil renfrognés. En somme, j'avais fini par lui gâcher sa soirée. Je lui avais proposé la botte et, le connaissant, ça devait lui poser un sérieux cas de conscience. Moi-même je me demandais si je n'étais pas allée trop loin, si j'en avais vraiment envie.

Je songeais à Daniel, m'interrogeant sur ses habitudes, ses relations. Était-il de ces mecs qui fréquentaient le Zanzi ? Si je baisais avec Gildas ce soir, ce serait pour me venger de lui. La question était de savoir si je devais sacrifier mon amitié pour Gildas à ce capricieux dessein.

J'ai rallié les toilettes. Un gars se soulageait dans un sabot. Je l'ai considéré avec envie. Il a croisé mon regard dans la glace et s'est mépris sur sa signification. Je ne pouvais lui dire que ça me désolait vraiment de pisser assise, je me suis enfermée à clé dans une cabine...

La propreté y était toute clinique. Sous cadres, il y avait une vieille pub de Benetton – des sexes d'hommes et de femmes alignés comme à l'inspection, ainsi qu'un dessin de Martin Veyron. L'humour persistait dans certains graffiti sur la porte. Ainsi lisait-on : « Le gay part où le gaz part », signé par un dénommé Burne Lencastrée (héros de « Tant qu'il y aura des zobs », grande production hollywoodienne). D'autres phrases moins vulgaires forçaient la méditation. « Tout homme qui se respecte est pédé », ou « Ah ! Si les femmes en avaient... » Je me promis de les consigner plus tard dans mon journal.

Je me lavai les mains sans me soucier du gars qui se soulageait toujours dans son sabot. Dans ce genre de lieu, on rencontrait vraiment de tout, et ce mec-là était du style VRP vicelard, qui cherche l'aventure contre nature sans jamais franchir le pas. Je ne mis pas longtemps à comprendre qu'il se masturbait. S'il me fit pitié, je n'en montrai rien, j'allai même jusqu'à lui adresser un clin d'œil et regagnai la salle.

De nouveaux clients avaient investi la boîte. Coulis de Framboise se donnait toujours en spectacle. Gildas m'avait resservi un barbotage, sa mauvaise conscience en était à fléchir. Mais pour le moment, un type au bar sollicitait toute son attention. Gildas lui fit un petit signe du menton dès qu'il m'aperçut. L'autre se retourna et je le reconnus sous les traits de Jacky, bien que son visage ressemblât plus pour l'heure à l'autoportrait d'Antonio Saura, magmatique et pustuleux, qu'à celui qui était le sien d'ordinaire.

Gildas lui tapota l'épaule au-dessus du comptoir et Jacky dirigea ses pas chancelants vers moi. Coulis de Framboise venait de se relever et Jacky lui chipa son mouchoir au passage, il se moucha dedans et le lui rendit sans même lui accorder un regard. On lui aurait mis la main au panier qu'il n'aurait paru plus offusqué. Décontenancé, il s'en remit à son ami, qui lui fit comprendre de laisser tomber, et d'arrêter de sangloter comme une gonzesse. À voir la tête que faisait Jacky, il n'avait pas tort : on risquait sans doute très gros à vouloir l'interrompre dans sa course, qui s'acheva tout contre ma table, où il posa une main blanche comme de la craie.

Jacky était un beau garçon brun au regard pénétrant. Il était de ces hommes qui vous cernent en un quart de seconde et qui, si vous n'êtes pas pour leur plaire, ne consentent jamais plus à poser les yeux sur vous. Jacky avait une réputation de fat et de bégueule, mais je sais qu'il m'aurait accordé tous les caprices si tel avait été mon bon plaisir avec lui. Avec Jacky, c'était tout ou rien, à la vie à la mort, et il ne fallait surtout pas chercher à savoir pourquoi.

Ce qu'il avait à me dire, aucune parole ne serait parvenue à le minimiser. Deux grosses larmes dévalaient ses joues et je serrais la table aussi sûrement qu'un ouragan n'aurait pu l'emporter. Mon rythme cardiaque s'était soudain accéléré. Je gardai mon regard rivé au sien.

– Georges...

– Quoi, Georges ?

Jacky prit le temps d'allumer une Rothsman. Il en téta nerveusement le filtre puis s'attacha un instant à observer l'extrémité incandescente.

À cause du temps qu'il mettait pour cracher le morceau, je pensai que Georges venait de rompre leur relation. Si ce n'était que cela, ça voulait dire que c'était dans l'air, et j'avais les mots pour le faire sourire, des mots à lui qui, faute de cicatriser toutes les blessures, nous amusaient quelles que soient les circonstances, comme on remet les pendules à l'heure. Je parvins à articuler :

– Jacky, dis, on ne va pas jouer toute la nuit à pictionary !

Il existait forcément une exception... Gildas accourut aussitôt, se fraya un passage jusqu'à nous. Même Coulis de Framboise, ravalant ses larmes, avait rappliqué et regardait Jacky évanoui sur la piste. Gildas me fustigea du regard.

– Qu'est-ce que tu lui as dit ?

– Ben...

Aidé du VRP vicelard, Gildas a transporté Jacky sur une banquette. Après quoi, à la cantonade, il a annoncé que le Zanzi fermait, pour trois jours, et ouste ! Chacun, grommelant, a traîné les pieds jusqu'à la sortie.

Gildas a verrouillé la porte. La plupart des spots étaient déjà éteints. Il a baissé le volume de la chaîne puis m'a rejointe, je tenais les mains de Jacky dans les miennes.

– Les flics l'ont retrouvé ce matin...

– Georges...

– Égorgé, comme les autres.

– C'est pas vrai...

– Ils ont débarqué chez Jacky tout à l'heure et n'y ont pas mis les formes, crois-moi. Ils lui ont fait subir un interrogatoire d'une heure, sans se soucier de la peine qu'il peut ressentir, ils ne lui ont pas épargné quelques commentaires salaces, ils lui ont dit...

– Qu'est-ce qu'ils lui ont dit ?

– Jacky ne pipait mot, K.O. debout, et je te jure, Jacky ne raconte pas d'histoires, ils lui ont balancé à la gueule qu'il était bien la première fiotte qu'ils rencontraient à ne pas paraître affectée par la disparition de son castor...

– Jacky n'a pas pu supporter ça !

– Jacky n'était pas en état de faire autre chose. Et y'a pire, Julius...

– Jacky n'a pas d'alibi pour l'heure supposée du crime...

– Tout juste, et ils le foutent sur la liste des suspects !

– De l'intimidation. Ils l'auraient embarqué et Jacky serait en train de passer un sale quart d'heure...

– Et tu crois qu'il n'en vit pas un ? Même que ça durera plus d'un quart d'heure.

Elle était bien bonne. À ce jour, la liste des suspects devait comporter deux ou trois cents gus qui, pour se faire un peu d'argent, tapinaient plus ou moins régulièrement sur le cours Dillon. Que la police ait multiplié par quatre le nombre de patrouilles n'avait donc eu aucun effet. Le tueur continuait à opérer au bord du fleuve.

Georges n'avait pas voulu entendre raison. Jacky se moquait qu'il le trompe, mais qu'il se livre pour ainsi dire tout cru à la démence d'un malade parce qu'il ne voulait rien lui devoir, il ne l'avait jamais compris. À ses yeux, que Georges se fasse payer dépréciait sans doute aussi la qualité de ses relations adultères. Jacky était un être complexe, et il avait agi avec indulgence alors que personne ne lui aurait reproché un accès d'intolérance.

À savoir si cela aurait changé quoi que ce soit. La dernière fois que l'on s'était vus, Georges et moi, il m'avait confié qu'il en avait assez de vivre aux crochets de Jacky, et qu'il cherchait à se faire le maximum de blé pour ne plus craindre en l'avenir. Il était passé me prendre et nous étions allés au théâtre. On jouait « On ne badine pas avec l'amour » et Georges avait pleurniché d'un bout à l'autre de la pièce. Plus tard, je lui avais proposé de lui avancer un peu d'argent et il avait refusé, tout net, sous prétexte que Jacky ne me le pardonnerait jamais. Georges m'avait dit aussi que tout cela, c'était à cause du boulot qu'il avait perdu, et que s'il venait à succomber entre les mains du fou, ce serait la faute à la société, après la dignité elle lui prendrait la vie. Normal.

– Faut qu'on retrouve cet enfoiré, Julius...

Jacky avait parlé lentement, pour bien se faire comprendre. J'accentuai la pression de mes mains sur les siennes.

– Cela ne sera pas facile...

– Tu ne pleures donc jamais ?

– Pourquoi cette question, Jacky ?
– Rien, je pensais...
Jacky ouvrit les yeux et ses lèvres esquissèrent un sourire.
– Au moins tu retiens tes larmes...
– Oui, je les retiens. Tu veux qu'on appelle un toubib ?
– Non, un avocat peut-être... Je n'ai pas d'alibi.
– Et pas de mobile non plus.
– Si ! Georges vivait avec moi et se prostituait, je ne l'ai pas supporté et je l'ai tué !
Il éclata en sanglots. Je dis à Gildas d'aller nous chercher un remontant. Il revint avec une bouteille de gin et trois verres.
– Tu oublies, dit Gildas, que tu as quitté le Zanzi à deux heures hier...
– ... Et que tu as fini la nuit avec moi, repris-je.
– Mensonges !
– Compte sur nous pour te rafraîchir la mémoire.
– NON ! JE NE VEUX PAS D'ALIBI ! JE N'AI PAS TUÉ GEORGES !

14

Simon

Je n'agissais plus ainsi par hygiène mais par coquetterie. Puisqu'Elvire m'avait dit que cela m'allait très bien, je suis resté chauve. J'avais acquis depuis longtemps la technique pour me raser tout seul. J'espérais ne pas me rendre ridicule.

S'écoula une quinzaine de jours sans que je l'approche. Au cours de cette période, Daniel passa par différentes phases et je cédai à tous ses caprices. De certains d'entre eux d'ailleurs, je profitai agréablement. J'eus de longues heures à moi, où à loisir je pensai à Elvire.

Les autres femmes ne m'intéressaient pas. J'avais maintenant un peu d'argent, mes frais se réduisaient au strict minimum, j'aurais pu m'offrir une relation tarifée, mais non, étrangement je restais fidèle... Cela m'amusait de considérer ma continence volontaire en ces termes, indépendamment du fait que nulle relation charnelle ne se fût amorcée entre elle et moi.

Trois communications téléphoniques décisives ont ponctué cette période. La première, c'est Daniel qui la provoqua. Je sus aussitôt, à sa manière de se tortiller sur la banquette, qu'il tenait enfin son dossier précieux et confidentiel.

Le rendez-vous eut lieu dans un bar, à proximité du C.H.U. Daniel me demanda de patienter au comptoir et il alla s'installer à une table non loin de moi. À vrai dire, j'en étais si proche que j'aurais pu entendre n'importe quel mot bredouillé très bas. Daniel ne voulait pas que je sois dans ses pattes mais se moquait d'une possible indiscrétion de ma part. D'un autre côté, il se pouvait que le type n'ait qu'un os à lui faire ronger, que la discussion s'envenime et que Daniel ait alors réellement besoin de moi.

Je commandai un demi, dont je bus la moitié d'un trait. Je ne sentis peser sur mes épaules aucun regard de reproche et me dis que la bière semblait meilleure depuis que j'étais bien habillé. À part moi, il y avait un autre consommateur collé au zinc, et qui, lui, essayait d'embobiner le patron.

– Je te promets, Charly, si j'avais vingt ans et si j'savais tout c'que j'sais aujourd'hui, je roulerais pas sur l'or, mais sur des diamants ! De bons gros diamants !

L'exemple type d'indigent éclairé, qui a de la bouteille, et ce qu'il faut pour minimiser sa propre misère et ricaner de ses fantasmes les plus insensés. Car il brûlait les yeux que ce gars n'avait pas deux sous vaillants devant lui.

– Tu me crois pas ? Vrai ! À une époque j'avais autant de millions que de cheveux sur votre tête...

Manque de bol, ce disant, il s'était tourné vers mézigue pour désigner ma chevelure. Mon crâne de bonze ne sembla pas le démonter outre mesure et il reporta son regard hépatique sur le patron, qui se bidonnait.

– Vrai !

– Je te crois, ah oui je te crois ! Bon, je te mets ce verre sur ton ardoise, tu as assez bu pour ce soir...

Le poivrot parut se vexer, puis haussa les épaules, un peu triste, et se dirigea vers la sortie. Il y bouscula un homme d'environ trente-cinq ans, habillé simplement, portant lunettes rondes sur les yeux et dossier épais sous le bras.

À sa place, j'aurais sans doute esquissé un geste d'irritation, voire envoyé bouler le malappris dans le décor, mais je n'étais pas à sa place, j'étais certainement beaucoup moins préoccupé, aussi.

Dès qu'il reconnut Daniel, il s'avança dans la salle en se ramassant sur lui-même, ainsi qu'on le fait lorsqu'on essuie une grosse averse et que le parapluie est resté à la maison.

Daniel lui offrit son visage le plus avenant, sans manquer de jeter d'abord un rapide coup d'œil, carnassier, au dossier qu'il avait posé sur la table. Sans conviction, Daniel lui proposa un verre qu'il refusa : il était pressé.

Le patron chercha à engager la conversation avec moi mais je ne donnai pas prise.

– ... Je n'ai pas non plus envie qu'on nous voie trop longtemps ensemble... Si j'ai mis tout ce temps, c'est que vous m'avez demandé un travail de Titan...

– Arachnéen.

– Qu'est-ce que vous dites ?

– Rien... Je vous dois combien ?

– Ça vaut trois briques. Ces données sont confidentielles et si on venait à apprendre que je les ai communiquées à une personne étrangère au service...

– Vous seriez grillé, c'est bien ce que je pense.

– Vous n'êtes qu'une ordure.

– Allons ! Pragmatique, simplement...

– Vous tueriez la poule aux œufs d'or ?

– À savoir si les œufs sont en or, et il n'y a jamais qu'une poule dans un poulailler... Dix mille.

Daniel lui tendit une enveloppe en kraft, toujours avec la même obséquiosité.

– Je ne comprends pas ce que vous allez bien pouvoir faire de ces informations.

– Parlons-en, justement.

– Vous avez là, en condensé, les dossiers médicaux de cinq à six mille mecs morts du cancer ces dix dernières années.

L'enthousiasme de Daniel n'a duré que le temps d'un trajet, celui qui menait du bar à la voiture. À peine nous y étions nous installés que le téléphone s'est mis à vrombir sur la banquette.

Des yeux et une bouche creusés sur un bonhomme de neige se seraient estompés moins rapidement lors d'un brusque dégel. Son visage n'était plus qu'un masque sans expression, derrière lequel je pressentis néanmoins un terrible dilemme, ou quelque chose dans le genre. Avant de dire quoi que ce soit à son interlocuteur, il me tapota l'épaule et je dirigeai ma main sur la boîte à gants.

À croire qu'il avait eu l'intention de parler longuement.Tout juste cependant surpris-je dans le rétro sa bouche s'ouvrir et se refermer une ou deux fois, comme une valve. Lorsque la communication s'interrompit, j'enlevai mes boules Quiès.

– Quelque chose qui ne va pas ?

– Une amie... Elle vient de perdre un copain dans des circonstances effroyables...

– Tu le connaissais ?

– Oui... enfin, non, je ne le connaissais pas...

Étrange que les seules marques de sincère émotion

se révélaient en lui après que, sur ses ordres, j'eus fermé les écoutilles. Si jusqu'alors, en pareil cas, j'avais pu à plusieurs reprises reconnaître sa capacité à s'ouvrir au bonheur, je savais maintenant aussi qu'il pouvait ne pas être indifférent à la douleur d'autrui.

Daniel était un homme de chair mais s'en cachait naïvement. Ou alors un truc m'échappait, un truc m'échappait sûrement. Au moins sur un point j'étais fixé : Daniel était amoureux, il pouvait l'être, et d'une femme qui plus est. Ça ne collait pas trop avec notre incursion au cours Dillon, oui, justement, le cours Dillon...

– Simon... À quoi tu penses ?

– Ton amie a peut-être besoin de ta présence...

– Roulons, veux-tu ?

Je pris la direction du périphérique. Je roulai sans excès, à tel point que deux camions nous doublèrent et que je n'en dépassai aucun.

Je demeurai à mon studio trois jours durant. Je n'en sortais jamais plus d'une demi-heure, je ne mangeais pas de manière équilibrée et passais mes journées à bouquiner. Les rares conversations que je pouvais surprendre dans l'immeuble étaient sans importance, jamais Daniel n'y était évoqué. Je fumais peu et ne me masturbais pas. Souvent me revenaient en mémoire les paroles de Daniel à propos de sa frangine. Ainsi leurs parents étaient morts, ainsi Daniel la croyait en partie responsable. Sa mythomanie était en cause, et pour cette raison Daniel la protégeait, la couvait de toute son attention, quand bien même devait-il parfois se montrer tyrannique. Je ne parvenais pas à saisir la nature réelle de leur relation.

On sentait qu'il y avait dans tout cela quelque chose de pas clair, pas clair du tout. Elvire me manquait et je redoutais que cette attente s'éternise.

À dix-sept heures, un soir, Daniel passa me prendre. Je ne lui montrai pas que j'étais content de le revoir. Il me confia qu'il avait envie de prendre un peu l'air et nous traînâmes un moment sur les hauteurs de la ville. Pour la forme, je lui posai quelques questions sur son boulot et il me répondit évasivement. Ça avançait, c'était tout ce qu'il pouvait me dire pour l'instant. Il semblait n'en retirer aucune joie. Un ressort avait cassé en lui. Il était fatigué, avait le teint pâle, et j'ignorais s'il fallait mettre son état sur le compte de toute l'énergie qu'il venait d'abandonner dans la bataille. Daniel affichait cette sorte d'épuisement la nuit du cours Dillon.

Quelques heures plus tard, quelqu'un l'appela. Aussitôt, les tics se firent nombreux sur son visage incrédule. Il ne savait que répondre : « Tu es sûre ? Tu es sûre ? »

Daniel me dit de prendre la direction de la gare, puis il se ravisa et je le déposai à une station de taxis.

– Je peux te conduire, tu me paies pour ça, non ?

– Oui, mais...

Ça lui aurait brûlé les lèvres de me répondre. Je ne décelai rien d'autre qu'un peu de honte dans son hésitation.

– Je rentrerai demain, prends-toi quelques libertés ce soir.

J'ai regagné mes pénates directement. Je n'ai pas allumé et me suis rendu dans la salle d'eau. Je me suis déshabillé et j'ai pris une douche. J'ai passé quelques minutes à regarder mes rides dans le miroir, je vieillissais un peu, jour après jour... Le courage, me dis-je sans raison apparente, c'est d'affronter la grenaille, sauver autrui au péril de sa vie, bref, les avoir bien accrochées, n'a-t-on sinon que du cœur à l'ouvrage, quand on a du cœur.

Toujours à poil, je suis retourné dans ma chambre. Je n'avais rien remarqué en rentrant, et maintenant ce parfum poivré taquinait obstinément mes narines.

J'ai observé la course lente de ce bras lactescent qui sortait du lit, celle de ces doigts longs et fins qui, bientôt, actionnèrent l'interrupteur de la lampe de chevet.

Ses vêtements traînaient sur la moquette, elle était entièrement nue sous le drap et ses formes m'apparaissaient pourtant aussi fidèlement que si elle s'était couchée dessus. Elle était bien faite mais cela, je le savais. Elle constituait un danger mais je goûtais déjà à elle comme à ce qui pouvait m'arriver de mieux dans la vie.

Elle me sourit en passant une main dans ses cheveux bouclés.

– Daniel ne rentre que demain...

– Demain...

– Reviens sur terre ! Je ne suis pas une martienne !

Son regard se détacha du mien, dévia, bascula, se mit à parcourir ma poitrine, plongea jusqu'à mon ventre, s'y appesantit un court instant, et je ne cherchai pas à dissimuler mon sexe.

– Je ne t'imaginais pas autrement...

Je m'approchai du lit et tirai le drap. Elle me céda un peu de place et je me couchai à côté d'elle. Je la touchai.

– Tu as des préservatifs ?

– Non...

– Ce n'est rien, laisse-moi faire...

Elle me fit allonger et commença à m'embrasser avec fougue. Ses lèvres gourmandes se perdaient dans le moindre de mes plis, sa langue y abandonnait une salive onctueuse. Haletante, elle me respirait comme si pour elle il s'agissait d'extraire plus de plaisir encore. Je la laissai s'égarer plus bas entre mes jambes.

Elle me prit dans sa bouche et je mesurai aussitôt tout l'effort qu'il me faudrait fournir pour me retenir. Des semaines et des semaines que je n'avais pas joui, et elle ne semblait pas vouloir me ménager. Elle le comprit car elle releva son visage. Je lus alors sur ses lèvres plus que je n'entendis :

– Ne te retiens pas, Simon, ne te retiens pas...

Elle me reprit dans sa bouche. Après, elle m'observa, les yeux comme des soucoupes, les lèvres pincées, les joues gonflées comme celles d'un hamster. Je détournai le regard lorsqu'elle se leva et s'en alla onduler jusqu'au lavabo.

15

Elvire

Comme j'aurais voulu lui dire que je lui offrais là le plus beau geste d'amour, celui auquel mon frère ne pouvait me contraindre sans chantage. Oui, ainsi je me donnais entièrement, je ne pouvais plus bel abandon. J'aurais souhaité qu'il me prenne, pour mon plaisir, mais aussi afin d'humilier le monstre qui naissait en moi.

Quinze jours s'étaient écoulés depuis mon dernier rapport avec Daniel, dix depuis la date où, théoriquement, j'aurais dû avoir mes règles. J'étais enceinte et ignorais ce que cela signifiait exactement. Si de Daniel je pouvais prévoir les réactions lorsqu'il saurait, j'étais loin d'imaginer celles de Simon – s'en moquerait-il et alors je n'aurais pas mené ma douloureuse existence inutilement.

Je parlai de Complice et Simon m'écouta avec indulgence, avec cette patience dont on doit user sûrement lorsqu'un enfant bavard vous raconte une jolie fable. Je n'essayai pas de le convaincre, demain ou plus tard Daniel se ferait un plaisir de lui présenter sa créature.

Il me caressa encore et je jouis enfin, pour la première fois de ma vie. Il se frotta contre moi, je le masturbai et il éjacula entre mes seins. Il roula sur le côté et je l'observai tandis qu'il reprenait son souffle.

– Tu sais, dit-il, que ça ne va pas me faciliter l'existence.

– On s'arrangera.

– J'ai vécu des situations difficiles, je m'en suis toujours sorti, sur les rotules mais je m'en suis sorti, oui... j'ai peur que ton frère soit un obstacle infranchissable...

– Tu ne crois pas si bien dire, il te tuerait s'il venait à l'apprendre.

La caresse que je lui prodiguai alors ne fut pas la seule cause au frisson qui le parcourut. Simon se tourna vivement vers moi et je lus dans ses yeux ce qui ressemblait à une sourde terreur, terreur que je n'avais jamais soupçonné découvrir ailleurs que dans mon propre regard, après que Daniel m'eut humiliée. Je me dis qu'il en savait autant que moi, ou qu'il avait déchiffré l'indéchiffrable, je frissonnai à mon tour.

Simon attrapa son paquet de cigarettes sur la table de nuit. Il m'en offrit une que je refusai.

– Tu es sûre qu'il ne rentrera que demain ?

– Oui... Il est parti au chevet de notre mère.

– Votre mère ?

– Qu'est-ce qu'il y a d'étonnant ?

– Je... je pensais qu'elle était morte.

– C'est Daniel qui t'a dit cela ?

Qui d'autre aurait pu lui raconter pareille horreur ? Simon ne me répondit pas et s'absorba dans ses pensées.

– Mère a perdu la raison et Daniel, quand Père est décédé, s'est empressé de la faire admettre dans une clinique spécialisée. Pour je ne sais quelle raison, il en a choisi une à deux cents kilomètres d'ici, si bien qu'il ne rentrera pas de la nuit. Elle a eu une attaque, du moins c'est ce que je lui ai dit...

– Mais...

– Je n'en pouvais plus d'attendre, tu comprends, j'avais besoin de savoir si tu m'aimais !

Simon respira profondément. Il serrait les mâchoires. Il tira sur son mégot jusqu'à se brûler les doigts.

– Je ne t'ai pas fait plaisir ?

– Je souhaite que tu ne l'aies pas fait pour mon seul plaisir.

– Je te pardonne ces paroles car tu ne me connais pas encore.

– Ne m'en veux pas, je ne sais pas trop où j'en suis. Un mec me sort du ruisseau, ce n'est pas un mec ordinaire...

– Je t'avais prévenu...

– Ouais, je lui dois tout, je lui dois trop, et puis un soir sa frangine me tombe dans les bras...

– Sa sœur, pas sa femme...

– Tu sembles dire que ça revient au même pour lui, non ?

– Nous pourrions partir !

– Mais j'ai l'impression que son âme ne serait pas en repos avant de nous retrouver, et alors...

– Qu'il aille au diable !

– Qu'est-ce qui te retient à lui ?

Je m'attendais à cette question. Je m'y étais préparée mais pas suffisamment.

Aussitôt, alors que je me dérobais, Simon m'attrapa par le menton. Il me força en vain, je résistai à la pression de ses doigts mais ne retins pas mes larmes.

Simon se blottit contre moi, il me dit encore :

– Comment tu t'es procuré les clés ?

– Daniel a des doubles des clés de tous les appartements qu'il loue, j'ai fait moi-même un jeu des tiennes...

– Et si...

– Tu as raison, il vaut mieux que je m'en aille.

Je me rhabillai. Sans me retourner, je lui demandai :

– Simon, tu ne m'abandonneras pas ?

– Non, mais ne me demande pas pourquoi, je n'en sais rien.

– Moi je sais...

– Qu'est-ce que tu dis ?

– Daniel te terrifie, il constitue une menace et il est de plus en plus difficile pour toi d'y faire face, seul...

– Qu'est-ce que tu me conseilles ?

– De me faire confiance et de garder ton sang-froid...

De sang-froid, j'en manquais moi-même. Mais je n'étais déjà plus la femme soumise à tous les caprices de mon dégénéré de frère. Non que je fusse heureuse, mais je prenais enfin conscience qu'il m'était permis d'agir sur les événements, ou que Simon m'y aiderait si je venais à manquer de force encore. Je me surprenais maintenant d'avoir songé à mon suicide. Je tenais ma vengeance, ce n'était plus qu'une question de jours, de semaines. L'idée que je m'en faisais me tiendrait lieu de bouée, et je serais patiente, je me savais capable de cela, je l'avais été si longtemps sans aucun objectif.

Je caressai mon ventre et je souris, j'aurais souri

ainsi si j'avais étouffé un monstre sous un oreiller. Sous ma main, il y avait un peu de mon frangin, ce peu de lui était à ma merci, ce peu de lui l'entraînerait dans la tombe. Peut-être, en effet, portais-je déjà une araignée dans mon sein. À savoir si Complice la reconnaîtrait comme son frère ou sa sœur...

Restait à dissimuler ma grossesse jusqu'à ce que l'avortement ne soit plus envisageable. Daniel me tuerait sûrement, mais le moment venu j'aurais donné à Simon toutes les raisons pour l'en empêcher...

« Chez les mygales, le mâle ne s'accole jamais à la femelle, mais s'il croit préserver ainsi sa petite existence, il ignore qu'il signe tout de même là son arrêt de mort... » Daniel prétendait aussi que je constituerais un attrait supplémentaire si j'étais une mygale. N'avait-il donc point deviné que j'en étais une, déjà...

Je ris de bon cœur. Lorsque Daniel tira brusquement sur le rideau de la douche, je riais encore.

Ses yeux étaient injectés de sang. Daniel n'était pas rasé, transpirait une odeur de fauve. Ses mâchoires claquaient comme un piège à loup.

– Tu vas me payer ça, Elvire...

Je ne parvins pas à m'esquiver. Je glissai sur l'émail, me ramassai sur moi-même. Je poussai un hurlement lorsqu'il m'attrapa par les cheveux et roulai sur le carrelage de la salle de bains, comme un vieux paquet de linge sale. J'allai buter contre le mur et heurtai le lavabo avec mon crâne.

– Avoue que tu es allé là-bas en pensant qu'elle pourrait mourir ! C'est un aveu ! Tu l'aimes encore !

– Tais-toi ou je te tue !

– Je t'en prie, Daniel, je veux la revoir, moi aussi...

– Tu vas la fermer...

Je me protégeais le ventre tandis qu'il me frappait.

Au bout d'un moment, il écarta mes jambes avec son pied, qu'il fit remonter doucement jusqu'à mon sexe. Il y enfonça la pointe de sa chaussure et je gémis de douleur.

– Viens donc si tu en as envie !

Daniel s'agenouilla entre mes jambes et défit les boutons de son pantalon. La sueur dégoulinait de son visage, une grosse veine saillait à son cou, son nez écrasé lui faisait comme le groin d'un porc.

À en juger par son érection, sa haine à mon endroit était totale. Il me saisit par les hanches et me ramena brutalement à lui. Je me remis à rire, il me gifla. D'un geste obscène, j'écartai mes lèvres, j'allai même jusqu'à m'emparer de son gland, je tirai dessus sans cesser de ricaner.

– Viens donc, vite, tu sais comme j'en ai envie...

Je lui souris avec une arrogance que je ne me connaissais pas.

– Ou alors, laisse-moi me relever, je vais m'accouder au lavabo, tu me prendras comme tu aimes, sans t'accoler vraiment à moi, j'en ai besoin, je te jure...

Je sentis son pénis se ramollir entre mes doigts. Daniel finit par se soustraire à mon étreinte. Son regard me fuit comme il aurait glissé sur un mauvais souvenir et je m'étonnai qu'il ait pu plonger ses yeux dans les miens. Il donna un coup de poing dans le miroir sans le briser. Ce que tu y vois te ressemble bien, Daniel...

Daniel fit volte-face. Ces paroles, je ne les avais pas prononcées, je ne les avais même pas murmurées.

– Comment se porte maman ?

– Je lui aurais fait payer tes mensonges s'il n'y avait pas eu d'infirmière.

– Ne l'as-tu assez tuée déjà ?

– Des centaines de fois, des centaines de fois...

– Et cela ne te suffit pas.

– Dis-toi bien que si tel était le cas, ton existence ne m'importerait plus...

– Viendra un moment, Daniel, où tu paieras pour tes fautes...

– Crois-tu donc que tu as payé pour les tiennes ?

– J'étais aussi malheureuse que toi, tu n'as jamais voulu l'admettre, tu ne peux pas m'en tenir pour éternellement responsable.

– J'ai peur que ce soit trop tard.

– Moi aussi.

16

Julia

Je n'ai pas encore pris de décision, ne sais où je répandrai ses cendres. Au lieu de notre meilleur souvenir commun... Je n'en connais qu'un, ici, chez moi, puisque nous ne nous sommes jamais rencontrés ailleurs, exception faite de la première fois. Je ne vois qu'une solution : changer le *Cereus Peruvianus Monstruosus* de pot, mélanger les cendres de Daniel à sa nouvelle terre. Je vais y réfléchir.

Souvent je relis la presse de l'époque. Je découpais les articles depuis le premier homicide. Georges fut la cinquième victime, et il fallut attendre plusieurs semaines pour qu'il y en ait une sixième. Sans ce souci que j'ai eu de suivre l'affaire, je ne posséderais aucune photo de Georges, bien que celle que diffusèrent les médias n'en fût pas vraiment une. Il s'agissait d'un portrait exécuté *post mortem* à l'occasion d'un appel à témoin. Je n'y reconnais pas Georges, on ne lit pas dans son regard sa joie de vivre et sa volonté d'en souffrir.

Le soin que prit la presse à traiter ce nouveau meurtre fut proportionnel à la délicatesse que déploya la police à l'égard de Jacky. À psychopathe, elle préféra dès lors égorgeur pour désigner l'auteur de ces crimes affreux.

Les journalistes enquêtèrent en profondeur et la vie privée de Georges fut étalée au grand jour. Sa famille n'y put rien, elle engagea une procédure, pour diffamation, mais sans qu'on y donnât suite. L'homosexualité de Georges était notoire et on conseilla à son père d'éviter de se couvrir de ridicule.

Je ne sais de quoi, après la disparition de son amant, Jacky souffrit le plus. De l'obstination qu'eurent les flics à voir en lui le coupable idéal. Ou de l'attitude de celui qu'il appelait avec une grinçante ironie son beau-père, lequel refusa qu'il revoie Georges une dernière fois et lui intima l'ordre de quitter la ville.

Pour les flics, je ne m'en faisais pas trop. S'ils l'avaient vraiment suspecté, Jacky n'aurait pas échappé à une garde à vue, voire même à une période de détention préventive. Mais Jacky s'obstinait à penser que le monde entier s'acharnait contre lui. Je ne lui connaissais pas ce complexe de persécution. Une manière de compenser l'absence, sans doute.

Pour l'attitude à adopter vis-à-vis du père de Georges, je préférai ne pas me prononcer. Jacky me demanda conseil et je l'accompagnai à la cérémonie.

Je tenais Jacky par le bras. Si je le sentais capable de supporter nerveusement cette nouvelle épreuve, je redoutais malgré tout qu'il se précipite tête baissée sur le cercueil. Je parvins à lui faire garder son calme et nous restâmes debout près du bénitier.

L'église était archibondée et jamais sermon ne me parut plus déplacé. Le curé ânonna un chapelet d'inepties, comme quoi Georges avait été élevé dans la foi et que, s'il s'était écarté un temps du troupeau, il était demeuré un fils exemplaire, dont le père pouvait s'enorgueillir. Nous apprîmes aussi que Georges s'apprêtait à convoler en justes noces avec une fille de bonne famille dont le curé omit de donner le nom, à moins qu'il ne l'étouffât dans un des fréquents éternuements qui ponctuaient son discours.

C'était plus que Jacky ne pouvait souffrir. Dans un silence glacial, il se mit à hurler. Des dizaines de regards convergèrent aussitôt sur nous et je ne pus alors l'empêcher de courir jusqu'à la bière.

Le curé en était à la bénir. Il ne retint pas son geste et Jacky, gémissant, les mains agrippées au catafalque, recueillit sur ses lèvres un peu d'eau sainte. La mère de Georges parut sur le point de défaillir, tandis que son père, les mâchoires serrées, fixa un vitrail de l'abside.

La nef commençait à se vider. Ne demeuraient déjà plus que quelques silhouettes indécises, dont les figures pâles semblaient mesurer l'outrage, osciller entre consternation et dégoût. Était-ce donc *elle* la fille de bonne famille ?

Je m'agenouillai à côté de Jacky. Le curé ne bougeait pas, soumis à celui qui, après tout, avait banqué pour cette mascarade. En temps normal, je lui aurais dit ma façon de penser. Eh ! Curé ! Il t'a mis combien dans l'enveloppe, le rupin ? J'ai peut-être de quoi me payer ta compassion. Viens donc poser la main sur l'épaule de ce malheureux. Tu lui diras : « Mon fils, reprenez-vous ! » et il te répondra sans doute : « Ton fils, c'est une pédale ! », mais qu'est-ce que ça peut foutre, tu ne t'en offusqueras pas, dis ?

Du regard, je me contentai de foudroyer le père de Georges, lequel refusait toujours de céder à ce qui n'était pour lui qu'une immonde provocation. Je caressai le cercueil. Je ramenai Jacky dans la travée, les portes de l'église s'ouvrirent devant nous sans qu'on eût besoin de tendre les bras.

– T'as vu leur gueule à tous ces cols blancs, ils se sont imaginé quoi ? que j'étais son prof d'éducation physique ?

– Ils ont très bien compris, calme-toi maintenant, je vais te préparer du café.

– Et Gildas ?

– Gildas est athée.

– Comme Georges.

– Comme moi.

– Il aurait pu tout de même faire un effort.

Je préparai un café pour Jacky et un thé au lait pour moi. De la cuisine, je ramenai aussi un mouchoir en papier pour sécher ses larmes.

– Ce qui aurait été chouette c'est que tous les copains se pointent à l'église, après on se serait payé le paternel, dans un coin sombre.

– Ils iront sur sa tombe, Gildas veut qu'on se cotise pour une couronne.

– Georges n'aimait que les plantes grasses. Les fleurs coupées, ça le déprimait... Ce qu'il aimerait, Georges, c'est qu'on mette la main sur le salaud qui a fait ça.

Je ne l'ai pas contrarié. Qu'il s'épanche, qu'il me balance tout ce qu'il avait sur le cœur. Plus tard seulement, je lui confierais ma façon de voir les choses, ce qui se résumait à croire que la police mettait tout en œuvre pour mettre le meurtrier sous les verrous, et que nous n'étions certainement pas en mesure de nous substituer à elle.

– Dès demain, je vais traîner sur le cours...

– Attends donc que les flics t'oublient un peu, et puis je ne pense pas...

Quelqu'un venait de sonner à la porte. Jacky m'a interrogée du regard. Je n'attendais personne, à part Daniel... depuis plusieurs jours.

Je ne l'avais pas relancé après mon appel, bien que lui seul me semblât à même de m'apporter un peu de réconfort. Rien que sa présence me consolerait, je n'avais besoin que de cela. Quand je l'avais appelé pour l'avertir du drame qui me touchait, j'avais pensé qu'il se manifesterait rapidement, et il ne l'avait pas fait. Aussitôt, bêtement, je lui en avais voulu. Maintenant, j'étais prête à lui pardonner.

– Jacky est avec moi...

– Jacky ?

– Tu sais bien, son ami est mort...

– Ah oui !... Bien, je repasserai...

– Non, entre, je t'en prie, j'ai besoin de toi.

À la façon que Jacky eut de le considérer, avec son air hautain, je compris qu'en lui, peu à peu, la nature reprenait le dessus, mais qu'il m'en voudrait aussi d'avoir rompu notre intimité.

Les deux hommes échangèrent un imperceptible signe de tête en guise de salutation. Daniel détourna le regard, et s'empressa de répéter qu'il ne voulait pas troubler notre discussion.

– Tu ne nous gênes pas, Daniel. Jacky a besoin qu'on lui change les idées, moi aussi d'ailleurs.

Daniel accepta finalement le siège que je lui désignai. Il s'y assit et je constatai sa soudaine pâleur. Daniel devait être de ces hommes que la douleur d'autrui affecte immédiatement, pour peu qu'on la lui fasse toucher du doigt. Je crus comprendre alors la nature de son absence : une simple réaction de défense.

– J'aurais dû te téléphoner avant de venir, dit-il comme pour lui-même.

– L'enterrement avait lieu aujourd'hui, tu ne pouvais pas savoir...

– Je suis désolé, toutes mes condoléances...

Jacky le toisa à nouveau. Il réagit même avec une certaine virulence, comme s'il venait de recevoir une gifle. Il balaya les paroles de Daniel d'un geste de la main et, à croire qu'il en avait beaucoup trop enduré, se leva d'un bond. Je le rattrapai à la porte.

– Qu'est-ce qui te prend, Jacky ?

– Et d'une, tu aurais pu choisir un autre moment pour le recevoir...

– Sa venue n'était pas prévue ! Voyons ! Jacky !

– Et de deux, sa gueule ne me revient pas.

– Daniel partage ta peine, il a voulu te témoigner un peu de sympathie, c'est tout !

– Mais tu l'as vu ? Ton Daniel a une tête de coupable, coupable de quoi ? je sais pas, mais ça brûle les yeux que ce mec est à la retourne. Je n'ai pas aimé sa façon de dire qu'il aurait dû appeler avant de venir. S'il avait su que j'étais avec toi, tu ne l'aurais pas vu ce soir, crois-moi, et nous aurions peut-être passé un moment agréable ensemble.

– C'est bien ce que je pensais, tu es jaloux.

– Julia, tu es parfois à côté de la plaque, vraiment.

– Tu te méprends sur son attitude.

– Alors disons qu'il me prend en pitié, et que je ne supporte pas qu'on me prenne en pitié, n'en parlons plus...

– Repose-toi, Jacky, ta douleur t'égare, tu es à bout de nerf.

Je retrouvai Daniel dans le salon. Il était debout face à la fenêtre et regardait dans la rue. Je me collai à lui et l'entourai de mes bras. Je fermai les yeux, je me sentais bien, il m'avait manqué comme jamais personne à ce jour. Apaisante était sa chaleur, moins forte la pression sur mes épaules, soudain. J'assurai ma prise sur son ventre.

– Tu es noué, toi aussi...

– Quelques petits problèmes... mais sans commune mesure avec ceux que connaît ton ami...

Daniel tremblait mais je ne le lui fis pas remarquer.

– Une sale histoire, je suis contente qu'il soit parti...

– Ce n'est pas très gentil !

– Ça se voit que tu n'as pas vécu une semaine avec lui, j'ai pour ainsi dire tout assumé, je n'en peux plus, parlons d'autre chose, veux-tu ?

– Il n'a pas l'air de m'aimer...

– Tu l'as compris ?... Sache que Jacky a la réputation de se faire une idée définitive des gens, et que ce soit noir ou blanc, ça le reste... Tu t'en moques, après tout.

J'aurais aimé qu'il me dise qu'il ne s'en moquait pas tant que cela, mais il garda le silence. Je déboutonnai un bouton de sa chemise et glissai ma main sur sa peau.

– Daniel, des idées bizarres m'ont traversée ces derniers jours, entre autres celle que tu étais marié et que j'étais ta maîtresse, tu ne me sors jamais, tu ne me laisses pas l'initiative, je t'attends trop souvent... Dis, tu n'es pas marié ?

– Non.

– Je... suis la seule ?

– La seule qui compte pour moi...

Je poussai un soupir de soulagement. Je l'aidai à retirer sa veste que je jetai sur un fauteuil. Je lui pris la main et le guidai jusqu'à la chambre, me déshabillai et me couchai sur le lit, en croix.

– Si tu me mentais, j'ignore de quoi je serais capable, Daniel... Prends-moi... Prends-moi, sauvagement.

Nous avons fait l'amour mais Daniel, à aucun moment, ne m'a prise comme je le désirais. De moi, il a usé avec douceur et j'en ai ressenti même du plaisir.

Tard dans la nuit, il s'est endormi. Je n'ai pas cherché le sommeil, je me suis levée. J'ai pris une douche, me suis rendue au salon. Dans une poche de sa veste, j'ai trouvé un paquet de Rothsman, les cigarettes préférées de Georges, ainsi qu'un couteau à cran d'arrêt. L'examen de son portefeuille ne m'a rien appris de neuf sur lui. J'ai consulté sa carte d'identité, je ne devrais pas malmener ma mémoire pour me rappeler son adresse.

17

Simon

Daniel m'avait menti, leur mère n'était pas morte. Il désirait que je me méfie de sa frangine. Il m'avait raconté cette histoire, sans savoir qu'Elvire allait le prendre à son propre jeu et que, pour ne pas perdre la face, il lui faudrait l'espace d'une nuit me retirer le rôle que j'étais censé tenir. Comment expliquer sinon sa décision de prendre le taxi, et sans doute le train juste après ? La logique la plus élémentaire aurait voulu que je l'accompagne. Dans ce cas, Elvire m'aurait attendu longtemps dans mon lit. Sans ce mensonge, en outre, Elvire aurait agi de manière inconsciente, pour le moins. Elle avait joué avec le feu.

Daniel mentait. Elvire jouait avec le feu.

Tous les matins, elle me rejoignait et nous faisions l'amour. J'avais acheté des préservatifs, nous en usions sans modération. Chaque jour je me donnais à elle comme si ma vie en dépendait, ainsi que je l'aurais fait peut-être si l'on m'avait accordé un dernier vœu avant de crever.

Si je la sentais fragile, je la découvrais aussi têtue dans nos rapports. De moi, elle demandait l'impossible et je le lui offrais, du moins le souhaitais-je. Ma vanité en aurait souffert si elle m'avait appris que j'étais encore loin de répondre à son désir.

Elle me quittait aux alentours de dix heures, peu avant que j'aille retrouver Daniel. Plusieurs jours, il se passa de mes services et j'en fus soulagé. Aurais-je su seulement le regarder en face ? Oui, m'affirmait Elvire. Simplement, si je venais à la rencontrer avec son frère, que je ne commette pas l'erreur de la tutoyer, nous n'étions pas encore rendus à cette familiarité, n'est-ce pas ?

Daniel me téléphonait toutes les trois heures, avec une ponctualité déconcertante, pour dire de me tenir prêt, qu'il n'avait pas besoin de moi pour le moment mais que peut-être, dans une heure ou deux – ça durait depuis une bonne semaine.

Entre deux appels j'allai m'acheter un livre. Je connaissais une très bonne librairie, rue Gambetta, non loin d'une épicerie où, il y avait peu, il m'arrivait encore de faire la manche.

L'épicerie était tenue par un gars d'un quintal et demi au moins. Comme de bien entendu, on l'appelait Moustique. Moustique ne faisait pas crédit. À vrai dire, il ne nous aimait pas trop, mais nous étions sa principale clientèle le dimanche et il ne refusait jamais de nous vendre de la bière, sans compter qu'il pouvait alors se fendre de son petit discours moralisateur. Tant de viande soûle le dégoûtait, ça c'est sûr. Je ne dis pas que Moustique était un mauvais bougre. Y'a de la misère plein les rues et il faut bien que quelques-uns en profitent. À savoir si plus haut, beaucoup plus haut, d'autres n'en profitent pas aussi. Bref, il nous dépannait bien, Moustique. Je me souviens qu'avec Octopussy, on achetait parfois une bouteille de Jenlain, et qu'on allait se la déguster devant la librairie Ombres Blanches. On sirotait notre jus de houblon en matant les livres en vitrine.

Je suis allé directement aux poches car avec mon salaire de misérable, c'était tout ce que je pouvais me payer. J'aurais pu m'acheter un vieux bouquin sur le marché mais, autant que faire se peut, les livres, je les préfère neufs, j'ai horreur des secondes mains, j'ai du mal à imaginer qu'un connard, avant moi, ait pu ressentir des émotions que je crois destinées à moi seul. Je me leurre, et c'est très bien comme ça.

Richard, lui, avait d'autres logiciels à maîtriser... Il bataillait avec son ordinateur, la sueur au front, la pupille dilatée, les sourcils froncés.

– On se modernise...

– J'avais compris, tu sembles contrarié dans ton intégrité...

Richard est un gars à la coule. On sent en lui une sensibilité subtile qui le rend attachant au premier regard. Si mon accoutrement de vrai-faux nouveau riche l'a surpris, il ne l'a pas laissé transparaître. La dernière fois qu'on s'était vus, il avait glissé un soleil dans ma poche, discrètement. À sa place, sûr, j'en aurais bouffé mon clavier. Mais Richard s'est contenté de me sourire et de me serrer la pogne, comme si j'étais un client ordinaire.

– Je peux te donner un conseil, Simon ?

– Ouais, j'aimerais un truc qui me fasse décoller... Je veux voir du pays, une histoire avec de nobles sentiments, de la tristesse, de l'humour...

– Je t'arrête, j'ai ce qu'il te faut ! Ce livre est vraiment chouette...

Richard me désignait « Les termitières de la savane », de Chinua Achebe.

– Un régal ! Achebe décrit les mécanismes de la perversion du pouvoir en Afrique. C'est une farce, tu te marres et grinces des dents !

Ce n'est pas donné à tout le monde de vous conseiller un bon livre, un livre qui corresponde au poil à ce que vous cherchez, à vos sentiments du moment. Richard a ce talent, je crois.

J'aurais lu ce bouquin d'une traite si Daniel ne m'avait pas délogé de mon antre. J'en étais à ce passage d'une sagesse rare où le vieillard à barbe blanche raconte que « si vous prenez femme de l'autre côté du Grand Fleuve, vous devez vous préparer à courir les risques des traversées nocturnes en pirogue... »

Je n'avais pas de pirogue, j'avais pourtant pris femme de l'autre côté du Grand Fleuve. Il était vingt-trois heures. Daniel m'attendait sous la marquise, il me fit signe de le suivre.

À sa suite je traversai l'antichambre et pénétrai dans son bureau. Je n'y avais jamais mis les pieds. Il était aussi vaste que le laissaient supposer les fenêtres de l'extérieur. Des plafonds très hauts avec des moulures. Des murs entièrement tapissés de livres reliés cuir. Un bureau immense où reposaient un Macintosh et un dossier que je reconnus au premier coup d'œil.

Une lampe modern style dispensait une lumière voilée et ajoutait à l'impression de très ancien. L'ordinateur, ronronnant, déséquilibrait l'ambiance, apportait une note discordante. Daniel affichait une franche gaieté, qui peut-être se voulait communicative.

– Tu dois te demander ce que je fabrique, non ?... Je ne suis pas encore parvenu à me familiariser avec tout ce charabia médical, mais j'ai accompli l'essentiel...

– Je nage en plein brouillard...

Je perçus alors un froissement d'étoffe derrière moi.

– Bonsoir, Simon.

Je me retournai avec lenteur. Elvire se dessinait dans l'encadrement de la porte. Elle souriait. Elle était belle.

– Bonsoir, Elvire.

– On ne vous voit pas beaucoup en ce moment.

– C'est que...

Je calai. Elvire, minaudant, avait glissé sa langue sur ses lèvres. Daniel parut ne pas s'en apercevoir mais eut soudain un brusque mouvement d'humeur, il frappa du poing sur le bureau.

– Tu ne vois pas Simon car tu n'entres pas dans ses prérogatives. Maintenant, tu nous laisses, nous avons à parler...

– Mon frère a une belle histoire à vous raconter !

– Veux-tu... Ma sœur, maugréa-t-il après qu'elle se fut éloignée, se moque éperdument de mon travail. Peux-tu comprendre cela, toi ?

– J'ignore la nature de vos relations...

– Nos relations !

Le mot sembla le troubler, et une lueur fugace traversa son regard. Qu'ensuite il se livre à moi me surprit.

– Qu'est-ce qu'elle en sait ? Pour elle, ce ne sont que des frasques. Elle se fout de ce projet à ce point qu'elle n'en sait rien, strictement rien. Ce soir, j'ai besoin de partager ma joie avec quelqu'un, je ne le peux avec elle, voilà pourquoi je t'ai appelé, tu ne m'en veux pas ?

– Je suis à ta disposition, tu me paies pour ça.

– Ce soir j'aimerais que tu m'écoutes... par amitié...

Cela sonnait étrangement dans sa bouche. Ce mec vous prenait toujours à contre-pied. Je l'aimais de moins en moins, si tant est que je l'aie aimé un jour.

– Sais-tu combien un cancéreux coûte à la société par jour ?

– Aucune idée...

... Et je m'en foutais.

– Mille quatre cents francs. J'arrondis, ce que je veux c'est te donner un ordre de grandeur. Admettons que le gus s'accroche à la branche trois mois, il *nous* en coûtera grosso modo cent trente mille francs, treize briques... Imagine maintenant cent gus qui s'accrochent à la branche... Tu vois où je veux en venir ?

– Pas trop.

– Les hôpitaux sont surpeuplés. Si l'on en croit les démographes, la population est vieillissante et cela ne va pas s'arranger dans les années à venir. Parfois, je me dis que je devrais injecter du pognon dans une entreprise de pompes funèbres. Le funèbre, c'est l'avenir, Simon !

Daniel me retournait le sang.

– Tu comprends maintenant l'intérêt de ces dossiers pour moi ?

– Mmmm !

– Cela m'a demandé un boulot monstre et une attention de tous les instants. J'ai mis en fiche 5 545 dossiers médicaux, de mecs morts des suites d'un cancer, la gamme est on ne peut plus variée... Approche, s'il te plaît.

Je contournai le bureau et m'approchai de Daniel. Sur l'écran, on découvrait un quadrillage avec des cases à compléter, comme un menu. En haut à gauche de chaque case, on pouvait lire des mots qui évoquaient pour moi des moments que je redoutais de vivre un jour. Mon estomac se noua, j'allumai une cigarette.

– J'ai gardé quelques cas significatifs pour te faire une démonstration. Prenons celui-ci, dit-il en tirant une fiche d'une boîte. On va l'appeler Gauloise. Soixante-sept ans. Il s'est pointé un jour chez son toubib pour une toux récidivante.

Daniel se mit à recopier toutes les données de la fiche. Ses doigts couraient sur le clavier avec une sinistre obstination et opéraient parfois des manipulations dont je ne comprenais pas le sens. On sentait que Daniel prenait un malin plaisir à remplir les cases, mais sa gaieté, non, n'était pas communicative.

Au bout d'une quinzaine de minutes, Daniel fit une dernière opération de sauvegarde, puis il tourna l'écran vers moi. Son sourire avait valeur d'encouragement, je me mis donc à lire.

M. Gauloise. *67 ans. Retraité. Toux récidivante. Altération récente de l'état général.*

Antécédents *: artérite des membres inférieurs stade 2. Bronchite chronique sans dyspnée depuis 15 ans. Tabagisme : 40 paquets/année. Alcool : 1/2 litre de vin/jour.*

Histoire de la maladie *: asthénie depuis 2 mois et perte de poids de 6 kilos associées à une dysphonie. Expectoration purulente, striée de sang depuis 8 jours.*

À l'examen *: température 38°. Toux-expectoration purulente. Crachats hémoptoïques.*

Auscultation *: râles sibilants diffus des bases. Hippocratisme digital.*

Radiopulmonaire *: opacité dense, à projection*

hilaire gauche, avec comblement de la fenêtre aortico-pulmonaire et atélectasie du lobe supérieur gauche.

***Fibroscopie bronchique** : tumeur bourgeonnante de la bronche souche située à moins de deux centimètres de la carène.*

***Anatomie pathologique** : carcinome épidermoïde.*

***Échographie hépatique** : pas d'image en faveur d'une localisation secondaire.*

***Tomodensitométrie thoracique** : adénopathies médiastinales de deux centimètres de diamètre homolatérales à la lésion.*

***Bilan** : cancer broncho-pulmonaire chez un fumeur de 67 ans, stade T3N2M0.*

Je rangeai dans mon paquet la troisième cigarette que je m'apprêtais à fumer. Daniel souriait toujours et j'avais envie de lui mettre des claques.

– L'ordinateur examine maintenant tout ce que tu viens de lire. Quand il a tout enregistré, il recherche les cas similaires répertoriés dans sa mémoire, en l'occurrence ceux que j'y ai placés. Qu'est-ce que tu en penses ?

– Je vois de moins en moins où tu veux en venir...

– Tu es long à la détente, Simon !

Daniel ne se sentait plus de joie.

– Je t'explique. Mon logiciel fait la part entre les malades qui valent le coût d'être soignés et les autres, autrement dit il fixe les priorités. Ses seuls critères sont, en ce moment, les chances de survie de notre Gauloise... Si, statistiquement, il ne doit pas survivre plus de... non, clique toi-même dans cette case...

Je ne l'avais pas remarquée, elle se situait en bas, à

droite de l'écran. À l'intérieur : un inoffensif point d'interrogation. Sans hâte, je pris la souris et dirigeai la flèche sur le point.

– Clique, bon Dieu !

Je cliquai.

Aussitôt, la page disparut, pour laisser la place à une icône.

Un petit cercueil...

18

Elvire

Je ne m'attendais pas du tout à voir Simon ce soir-là. Je m'habillai hâtivement et dirigeai mes pas vers le bureau de Daniel.

Simon dansait un pied sur l'autre, et lorsque je passai ma langue sur mes lèvres, je faillis lui faire perdre toute contenance. Je pris du plaisir à cela.

Daniel et Simon quittèrent la maison vers minuit. Une heure durant, je demeurai avec Complice. Je lui confiai mes tracas et mon bonheur, un bonheur que je ressentais par anticipation. Je me projetais dans un avenir où je serais enfin heureuse, un avenir que je désirais de plus en plus proche. Il ne tenait qu'à moi qu'il s'accomplisse. Je le voulais pour demain, ou pour la fin de la semaine, mais pas plus tard.

Le téléphone mit un terme à mes confidences. Je me détachai de Complice et m'emparai du combiné.

– Allô... Allô...

Ce coup de fil anonyme ne me perturba pas outre mesure et j'allai me coucher. Je ne mis pas la chaise devant la porte.

Quand je me réveillai, au matin, Daniel était debout près de moi.

– Qu'est-ce que tu veux, Daniel ?
– Recommencer tout à zéro...
– Nous en avons déjà parlé. Il est trop tard, nous en avons convenu tous deux.
– Habille-toi, nous sortons.

Daniel me prit le bras et je ne me dérobai pas à son étreinte. Il m'emmena en ville, chercha de mille façons à me faire plaisir. Je consentis à ce qu'il m'offre une robe mais je la choisis avec le désir qu'elle plaise à Simon, qu'il prenne un soin jaloux à m'en dévêtir.

Je devais remonter dans mes souvenirs à la mort de notre père pour retrouver un Daniel aussi loquace et prévenant. Comme j'avais souffert alors de ce contraste entre sa joie et ma douleur. À cette époque j'avais découvert en lui la créature immonde qu'il avait toujours été. Père était mort d'un cancer du tube digestif et chaque fois que la maladie avait grevé de manière patente son capital de vie, j'avais dû assister impuissante aux manifestations d'allégresse de mon frère.

Quoi que pût lui apprendre le toubib, Daniel s'empressait de le rapporter à notre père. Ce dernier n'ignorait rien de son état et de l'issue à laquelle il devait se préparer. Étrange qu'à aucun moment il ne cherchât à le faire taire. À quelques heures de son ultime souffle, il le regardait encore aller et venir autour de son lit sans ciller, avec cette résignation coupable qui fut la mienne par la suite.

Daniel m'empêcha de lui refermer les paupières. Ainsi aurait-il toujours les yeux ouverts sur les fautes commises... Bien sûr, il refusa à Mère qu'elle l'accompagne dans ses derniers instants. Mère, d'ailleurs, ne participa pas aux obsèques. Elle était déjà loin, pas de nous, mais de moi. Mon frère me laissa seule au monde.

Je jetai mon dévolu sur une robe à motifs blanc et noir avec mille boutons de nacre sur le devant. Daniel me contempla dans la glace et je lui renvoyai un sourire qu'il prit sans doute pour un signe de satisfaction.

Nous dînâmes ensuite dans un restaurant grec, rue Peyrolières. Je dégustai des feuilles de vigne farcies et une brochette athénienne. Daniel, lui, dévora une pleine assiette de moussaka en prenant garde de ne pas se laisser aller à ses mauvaises manières. Un garçon allait de table en table avec un panier de roses rouges et Daniel eut même cette générosité, il m'en offrit une, que j'oubliai d'emporter lorsque le moment de partir fut enfin venu.

Daniel était intarissable, mais je ne l'écoutais pas. Je serais bien en peine de me rappeler tout ce qu'il me raconta au cours de cette journée. J'étais avec lui mais sans l'être. Je ne cessais de l'observer, certes, mais comme pour me pénétrer d'une réalité qui ne serait bientôt plus la mienne. Daniel ne se doutait de rien.

– J'ai commis des actes inavouables, Elvire.

Crois-tu donc qu'en prendre conscience suffira à te faire pardonner ?

– J'aimerais que tu m'aides... Je songe à consulter un psychiatre...

Pour toi, Daniel, il n'y a pas de rédemption possible, je ne le permettrai pas.

– J'ai besoin de toi...

Je porte ta mort en moi, Daniel...

Je me refusai à admettre que s'opérait en lui une véritable mutation. De toute façon, je ne lui connaissais pas de sincérité, à quelque propos ou occasion que ce fût. Je me retins d'éclater de rire. Nous avions dépassé les limites, les dernières limites.

Le lendemain je me rendis chez Simon. J'utilisai mes propres clés. Simon semblait dormir, un oreiller sur la tête. Je m'assis au bord du lit et posai une main sur son ventre, je m'aventurai plus bas encore. Sa voix me parvint étouffée.

– Tu m'as manqué, Elvire...

– Le sort en est jeté, Simon.

– Qu'est-ce que tu racontes ?

Simon se redressa, se débarrassa de l'oreiller et posa sur moi un regard incrédule où affleurait la méfiance. Il crevait les yeux qu'il m'attendait depuis longtemps. Le cendrier sur la table de chevet était rempli de mégots, l'air saturé de fumée. Simon s'était douché, rasé de près et parfumé, pour moi seule. Simon m'appartenait corps et âme, j'en ferais ce que je voudrais, je n'aurais pas à le regretter, je lui faisais peur aussi.

Je lui souris en serrant mes doigts à la racine de son sexe. J'avais bu quelques verres de porto pour me donner du courage. Qu'il le remarque et je lui dirais que jamais je ne l'avais désiré comme ce matin, que ma bouche ne connaissait pas le mensonge, que son parfum me troublait le cerveau. Je continuai à le manipuler avec application.

– Oui, Simon, le sort en est jeté... Je t'aime, mon Dieu, comme je t'aime.

La crainte que j'avais fait naître volontairement en lui se dissipa. Ma main allait et venait et sa respiration, à mesure, s'accélérait. Me restait maintenant à le décevoir. J'esquissai une grimace.

– Qu'est-ce que tu as ?

– Je ne peux pas rester, cela va te paraître stupide mais je crois que Daniel se doute de quelque chose, oh Simon !

Et je me jetai dans ses bras, le parcourus avidement de mes baisers, j'effleurai ses lèvres puis m'enroulai à sa langue, elle avait un goût de gauloise.

– Mais comment...

– N'oublie pas que c'est mon frère !... Il me tire les vers du nez...

– Il n'est pas prudent que tu restes ici...

– Mais Simon, j'ai envie de toi, toi aussi tu as envie de moi, non ?!

À moins d'une désolante ingratitude, il ne pouvait prétendre le contraire, je l'avais mis dans un état qui induisait tous les abandons. J'usais de lui à mon gré mais veillais à ce qu'il n'explose pas dans ma main. J'attendais qu'il parle, me dise tous les mots dont j'avais besoin.

Ne m'y contrains pas, Simon, ne m'y contrains pas, pensais-je.

– Je pourrais lui parler, ce n'est pas un monstre, il pourra comprendre...

Mais Simon ne semblait pas y croire une seconde. D'une certaine façon aussi, il venait de me décevoir. Non, ce n'était pas ce que j'attendais de lui.

– Tu ne veux tout de même pas que je le tue ?!

– Ne parle pas de malheur !

Je posai mes doigts sur ses lèvres et m'empêchai de sourire. Il l'avait dit, il l'avait pensé, il avait franchi le premier pas.

Je lui murmurai mon désir. J'ôtai ma culotte mais gardai ma robe, je m'accroupis sur lui et feignis de m'étonner lorsqu'il me rappela que les préservatifs étaient dans la salle de bains.

Nous en avions parlé plusieurs fois, mais il n'était pas question pour moi que je prenne la pilule. Qu'il imagine la réaction de mon frère s'il venait à l'apprendre, et puis je ne me sentais pas l'humeur à ce genre de cachotterie, d'autant que Daniel avait parfois de ces lubies ! Une fois au moins par semaine, il se mettait à fouiller un peu partout, et sa curiosité maladive n'épargnait ni ma trousse de toilette ni mon sac à main.

– Ne bouge pas, Simon, je m'occupe de tout, fis-je en riant.

– Tu sauras ?

– Mais tu me prends pour qui ?

Je trouvai la boîte bien en vue sur la tablette au-dessus du lavabo. Je me regardai dans la glace et respirai profondément. Non, il ne se doute de rien, lui non plus, ce n'est qu'un jeu, et nous finirons bien par en rire...

Je ne me coupais plus les ongles depuis quelques jours. Sans peine, je déchirai l'étui et en retirai le condom. Simon me cria depuis la chambre :

– Tu les as trouvés ?

– Oui, mon chéri, ne t'inquiète pas...

Dans une semaine ou deux, je ne pourrais plus dissimuler ma grossesse. Pauvre Simon, pauvre Simon... Mais il le faut, sais-tu ? Tu me le pardonneras, tu verras, nous serons heureux, et riches. Je t'apprendrai à le haïr plus encore. Je vais te donner toutes les raisons pour cela.

Je ne pensais pas toutefois que ce geste de rien me serait si difficile à accomplir. En dépendait ma vie, ma vie... Je m'y repris à deux fois pour percer l'extrémité du préservatif avec mes ongles.

19

Julia

Je n'ai rien écrit dans mon journal depuis plusieurs jours.

Ce matin, Jacky m'a téléphoné et j'ai accepté qu'il me rende visite. Nous ne disons pas grand-chose, nous n'avons sans doute plus rien à nous dire. Sûrement parce qu'il ne parvient pas à détacher le regard de l'urne posée près du cactus, il finit par me demander de qui il s'agit.

– Quelqu'un que tu n'as jamais aimé, et encore, pas tout entier...

– Et tu le gardes ?

– Je n'arrive pas à savoir ce que je vais en faire.

– Tu l'aimes encore ?

– Non, mais cette urne me brûle les doigts...

Je n'en dis pas plus. Je me souviens de cette soirée.

Jacky traînait une mélancolie qui me foutait mal à l'aise. De son propre aveu, il avait sniffé deux lignes de coco de très bonne qualité, il était en pleine redescente. Là-haut, sur un nuage, Georges s'était refusé à ses caresses. Ses regards avaient quelque chose de lointain mais se posaient sur moi comme si j'avais été le dernier repère tangible. Sur le canapé, il s'était collé à moi, ses mains cherchaient à pétrir sous mon pull les seins que je n'ai pas.

– Julia, je t'en prie, j'ai besoin de savoir si je suis encore un homme ! La masturbation me répugne, tous les matins j'ai la trique, j'ai honte, tu dois m'aider... Comme un bon copain, sois un bon copain pour moi !

Je faillis lui dire que je n'étais qu'une... femme.

– Tu me fais perdre la tête. Je te croyais pédé à la vie à la mort !

– Ce n'est pas si simple. Toi, d'ailleurs...

Oui, peut-être que nous mentions à nous-mêmes, sans cesse. Nous avions brisé les miroirs, puis nous nous étions obstinés à recoller les morceaux pour y reconnaître une image qui ne serait jamais tout à fait la nôtre mais à laquelle maintenant, à l'âge où nous en étions rendus, nous tenions plus par orgueil que par volonté, et bien sûr nous n'accorderions à personne la liberté de nous dire que nous nous étions trompés. Nous ne sommes que l'expression ambiguë de nos névroses, et nous le demeurons.

– JE NE PARLE PAS DE MOI !

– Ne te mets pas en colère... Julia, je dois te l'avouer, ça n'allait plus très bien entre Georges et moi, je crois que Georges allait me quitter...

– Mais qu'est-ce que tu racontes ?

Je ne devais pas être très convaincante. Jacky m'a regardée par en dessous. Moi, je savais, qu'il en était à vivre le deuil d'un amour où ne demeurait déjà plus qu'une tendresse atténuée, une forme d'habitude. Le drame désormais, ce n'était pas la mort de Georges, son absence, mais que Jacky s'enferre à cause d'elles dans ses dernières illusions.

Je ne me sentais pas le droit de lui donner raison. Jacky n'avait pas tort : moi-même je ne savais plus très bien où j'en étais. Voilà une heure, j'avais appelé Daniel à son domicile de la rue Ozenne. Je ne lui avais pas parlé. Je m'en remettais à peine. Qu'une femme m'ait répondu m'avait laissée sans voix, au bord de la crise de nerfs. À cette heure de la nuit, ça ne pouvait être que *sa* femme... Daniel m'avait menti, je songeais déjà à la façon dont j'allais le punir.

Ensuite, j'avais proposé un tour en voiture. De toute façon, je ne coucherais pas avec lui, je ne voulais pas non plus l'abandonner à sa solitude. Je conduisais au hasard, j'avais besoin de réfléchir. Parfois, Jacky aventurait sa main sur mon genou. Je lui souriais et il relâchait son étreinte. Entre nous, il n'y avait que cette complicité permise. Beaucoup plus tard, il m'a dit :

– Tu vois, Julia, il faudrait constamment avoir à l'esprit que ceux que nous aimons vont mourir un jour.

– Ils ne meurent pas tout à fait...

– Car si notre douleur quand ils disparaissent est si forte, c'est que nous nous apercevons alors que nous avons toujours été en deçà de l'amour que nous devions leur donner. Aimer, c'est faire preuve d'une extrême sollicitude, constante, et nous sommes trop égoïstes.

Le jour se levait. Jacky titubait sur le trottoir. Je lui avais consenti un rapide baiser sur la bouche. Avant de redémarrer, je me suis assurée qu'il se dirigeait bien vers l'ascenseur.

La bâtisse en imposait. Daniel vivait sur un grand

pied, cela ne faisait aucun doute. J'épiais les fenêtres depuis déjà deux heures. Je m'étais garée sur le trottoir opposé, à une trentaine de mètres de la grille.

Je désirais en avoir le cœur net, le plus tôt possible. Après, j'aviserais. Le quitter ou le tuer...

Récompensée, ma patience le fut peu avant midi, et de quelle manière... Je pris sur moi pour ne pas éclater aussitôt en sanglots. Je serrai le volant de toutes mes forces. Je fermai les yeux pour croire encore à un mauvais rêve. Mais ce n'en était pas un. Sur le trottoir, il y avait maintenant la confirmation de mes soupçons.

Daniel la tenait à la taille et l'inondait de sa faconde. Je vis nettement sa main glisser dans son dos, s'attarder une seconde sur sa croupe, comme on se rassure de la présence d'une femme que l'on possède...

Je ne contins plus mes larmes. Je pris alors conscience de ce que Daniel représentait réellement pour moi, de cet amour dans lequel j'avais fondé tant d'espoirs, et qui jusqu'alors m'avait fait étouffer tous les chagrins que j'aurais dû ressentir. Ce geste était beaucoup plus qu'un affront, une humiliation, pour moi mais aussi pour ceux que j'avais négligés à cause de lui. Je croyais tenir de l'or mais je n'avais que du sable dans les mains.

Bras dessus bras dessous, ils marchaient en direction des Carmes, ils allaient traverser les passages protégés, dans moins d'une minute.

Je pensai leur foncer dessus. Avec un peu de chance, je les faucherais au milieu de la chaussée, tout se passerait très vite et je continuerais à rouler, tranquillement, jusqu'à me fondre dans le trafic.

Je remis le contact et constatai que je n'avais presque plus d'essence. Je ne me rappelais pas avoir fait le plein récemment, et je m'étais baladée une bonne partie de la nuit, avec Jacky d'abord, seule ensuite afin d'essayer de mettre de l'ordre dans mes pensées. Si seulement j'étais tombée de sommeil, si ce soupçon ne m'avait tenue éveillée...

Je remarquai aussi le voyant d'huile qui clignotait. Daniel et sa femme en étaient déjà à atteindre l'autre trottoir. *Sa femme...* Daniel ne perdait rien pour attendre.

Je roulai au ralenti. Parvenue à la station-service du boulevard Lazare Carnot, j'avais épuisé jusqu'à la réserve. Devant les pompes, ma voiture hoqueta avant de caler. Je me cognai le front contre le volant, je n'y croyais pas encore.

– Le plein, monsieur ?... Oh ! Pardon !

À croire que dans son esprit de garagiste à la con, un homme n'était pas capable de pleurer...

Il s'empressa de m'adresser un sourire de circonstance. Je lui confiai les clés. J'allai aux toilettes et me passai le visage sous le robinet.

À mon retour, il nettoyait le pare-brise avec un soin que rien ni personne n'exigeait. Il paraissait quelque peu empêtré, ne sachant s'il faisait bien ou mal. Je l'entendais déjà me servir le refrain habituel, sur le calme après la tempête, les grandes joies après les petites douleurs, sans avoir l'air d'y toucher. Je coupai court à tous les bavardages. Je m'étais sensiblement reprise. À l'intérieur, j'étais à nouveau aussi tendue qu'une courroie de transmission, ça n'empêchait pas un sacré paquet de crasse dans le carburateur.

– Il me faudrait de l'huile également, si vous pouviez faire l'appoint, vous me rendriez service...

Il se fendit d'un sourire. C'était dans ses cordes, ce truc-là. La compassion, pas trop. Finalement, je lui ôtais une épine du pied.

Il s'exécuta, non sans me gratifier de quelques commentaires quant à ma façon d'entretenir ma voiture. Il me tendit ensuite le bidon.

– Cadeau de la maison.

J'allai le ranger dans le coffre. S'y trouvaient déjà quelques bidons mais tous étaient vides. Le garagiste avait toujours les mains dans le moteur. Je l'entendis bougonner.

– Ne pensez pas que je veuille vous refourguer ma camelote, ce n'est pas pour ce que coûte l'eau distillée, mais si vous n'en ajoutez pas vous risquez de péter le radiateur, enfin, vous faites ce que vous voulez...

– Faites ce qui vous semble nécessaire, lui dis-je. Faites, je vous en prie.

De le voir s'activer dans les entrailles de ma voiture me distrayait, cela avait au moins cet avantage.

– Bon, j'en profite pour vous mettre un peu d'antigel...

– Mais il fait beau !

– On n'est jamais assez prudent, et puis l'hiver arrivera vite, croyez-moi.

Dans cinq ou six mois. Quelle importance !

Le garagiste fit comme pour l'huile. Il utilisa une partie du bidon et m'offrit le reste. Comme ça, au moindre pépin, où que je sois, je pourrais me passer des services d'un garagiste !

Je réglai ce que je lui devais à la caisse, c'est-à-dire trois fois rien, cela lui faisait plaisir et je ne le contrariai pas dans sa générosité.

– Si pour je ne sais quelle raison, vous deviez vider votre coffre, assurez-vous de mettre l'antigel hors de portée, enfin, si vous avez des enfants, parce qu'il ne viendrait pas à l'idée d'un adulte de boire de cette saloperie...

– Je n'ai pas d'enfant.

Je ne mis pas longtemps à assimiler l'information. Lorsque je relevai les yeux de mon porte-monnaie, il haussa les épaules.

– Ne me dites pas que vous ignorez les vertus de l'antigel !

Il se mit à rire. Trop heureux de me prodiguer sa science, il ne me laissa pas le temps de lui répondre par oui ou par non. Il me lança un clin d'œil. Que ça reste entre nous, bien sûr... Promis, juré.

– L'éthylène glycol est la principale substance de l'antigel, et je vous promets, un empoisonnement à ce truc ne fait pas voir la vie en rose...

– Mais ça doit être infect !

– On ingurgite tellement de breuvages suspects ! Et puis si vous le mélangez à du vin, ou même à du jus de fruits, bien sucré, je vous fiche mon billet que vous n'y voyez que du feu ! Eh ! ne me dites pas que vous avez envie de mettre fin à vos jours ?

– Oh non, pas une seconde...

20

Simon

Son programme pouvait se gourer dans un cas sur vingt, cinq sur cent ! mais ce n'était pas une raison pour ne pas fêter l'événement. À mon troisième demi, j'ai repiqué à la clope et Daniel m'a épargné ses attendus persiflages. Lui ne buvait que du coca et de ce côté-là aussi le fossé se creusait entre nous. Après Le Fada et le London Town, nous avons mis le cap sur le Didjeridoo Bar. J'en tenais déjà une bonne mais c'était à croire que Daniel avait picolé plus que moi, en douce, ou qu'à son insu le patron avait mis du whisky dans son coca. Il me donnait le tournis, me soûlait de paroles absconses. Le crâne m'élançait, et je concentrais mon attention sur la main qui portait le verre à mes lèvres, je m'en sortais pas mal. Qu'est-ce que j'avais à foutre de ses balivernes ? Mais qu'est-ce que j'en avais à foutre ? Tu n'es qu'un pauvre malade, Daniel. Et je ne t'aime pas, non. D'ailleurs, il y a des choses que j'aimerais que tu m'expliques. Et puis je dois te faire une confidence, ne le prends pas mal, mais je baise ta frangine, ouais, même qu'elle en redemande, ouais, et qu'elle te déteste bien plus que moi. Alors tu vas lui lâcher la grappe, tu vas cesser de me bourrer le mou, tu vas lui refiler sa part d'héritage et ciao guignol ! Tout ça en moi-même, ressassant, balbutiant.

J'ai trébuché de mon tabouret, je me suis accroché au revers de sa veste pour me retenir, j'ai failli lui filer un pain, j'aurais pu en profiter, je ne sais pas ce qui m'a retenu, ou alors j'ai amorcé le geste, je ne me rappelle plus, et Daniel m'a remis d'aplomb en pensant peut-être que j'avais simplement voulu lui caresser la joue, c'est vrai que je ne dominais plus très bien mes membres. La sale impression d'être une marionnette, qu'il tirait sur les fils comme il menait sa vie incohérente, n'importe comment. Mais oui Daniel, il est formidable ton logiciel.

Je me souviens que je ne tenais plus sur mes cannes, que Daniel a dû me raccompagner chez moi, qu'il a eu un mal fou à me faire grimper les étages, que je l'ai maudi pour cette ascendance qu'il prenait encore sur moi. J'essayais de lui échapper, je préférais ramper, je n'avais pas besoin de lui. Plus tôt dans la soirée, il m'avait demandé si je pensais que c'était un type bien. Je l'avais rassuré. Pas de doute qu'il avait un potentiel énorme. Je n'avais pas précisé pour quoi. Pour faire chier le monde, sûrement. Pour le reste, je réservais mon jugement.

Et qu'est-ce que tu vois quand tu me regardes ? Hein ? Ouais, qu'est-ce que tu vois ? Un mec, ouais, un mec... Là, tu te trompes ! Et il m'avait servi une histoire incroyable, un truc qui était survenu à une copine à lui, Arachné, elle s'appelait, la drôlesse. Elle n'avait pas su tirer son épingle du jeu, avait pris trop peu de précautions. Je m'étais vautré dans mon lit. J'avais fermé les yeux.

Quand je les ai rouverts, j'ai pensé que je vivais un

cauchemar. Daniel se penchait sur moi, me soufflait une haleine fétide au visage. Je me suis souvenu en vrac de la silhouette de Treuil dessinée à la craie sur le sol, de Daniel qui jouait avec son cran d'arrêt sur la banquette à l'arrière de la voiture, de la soirée du cours Dillon, et je me suis vomi dessus. J'aurais pu lui claquer dans les mains, il s'en tamponnait le coquillard, il avait besoin de savoir, savoir. Encore une chance, il était bien disposé à mon endroit. Alors tu me réponds ? Que veux-tu que je voie ? Tu as devant toi quelqu'un qui n'est déjà plus un homme. Je suis Dieu, Simon, Dieu ! La bonne affaire. Je n'avais peut-être pas tout compris à son putain de logiciel.

Je mordillais l'oreiller. Les draps étaient humides, mon entrejambes trempé. Vomir ne m'avait pas suffi. J'ai poussé un râle de douleur où la honte n'était pas étrangère. Plus pitoyable, je n'avais jamais été. J'ai maté le réveil, j'avais raté l'heure de l'embauche, Elvire n'était pas venue, ou alors elle ne s'était pas attardée, je l'avais dégoûtée. L'homme est une bête, Elvire. Ce n'était certainement pas le moment d'en rajouter au château de cartes, j'avais la tremblote, l'équilibre déjà était fragile. Il serait toujours temps d'y repenser, plus tard.

En tâtonnant sur la table de chevet à la recherche de mon paquet de cigarettes, j'ai trouvé le mot laissé par Daniel. Je pensais à lui justement, du moins à tout ce que j'avais bien pu lui raconter, si je lui avais raconté quoi que ce soit d'ailleurs, si j'avais commis des impairs. De me savoir en vie supposait que non.

Daniel avait écrit : « Je te consens cette journée. » Daniel avait toujours les mots qui procurent du plaisir, ce plaisir de croire qu'il sera un jour permis de tordre le cou à celui qui a eu le malheur de les prononcer et, pire, de les écrire. Je me suis rappelé le vieillard à barbe blanche dans « Les termitières de la Savane » : « Il est dans l'ordre qu'un mendiant visite un roi. Lorsqu'un riche est malade, le mendiant va le voir pour lui exprimer sa sympathie. Lorsque c'est lui qui est souffrant, il attend de guérir, puis il vient prévenir le riche qu'il a été malade. C'est dans la condition du pauvre de rendre visite à celui qui tient l'igname et le couteau. » On ne pouvait mieux exprimer le malaise que je ressentais.

Je n'avais qu'une paire de draps, je les ai donc mis à tremper dans le bac à douche. Ça m'a demandé un effort énorme mais j'ai tout de même fini par faire tenir le matelas debout devant les fenêtres ouvertes afin qu'il sèche plus rapidement. Après, je le retournerais puisque l'autre côté n'avait pas souffert de mon incontinence. J'essayais d'agir avec célérité mais chaque geste me coûtait. Ma honte avait la vie dure et je ne suis parvenu à ne plus y penser qu'en début de soirée. Je me suis remis à la lecture de mon livre. Seulement, je n'ai pas réussi à me persuader que le Grand Chef, le dictateur, était noir, et qu'il ne ressemblait pas trait pour trait à Daniel. Cela a suffi à gâcher mon plaisir.

Mais le ciel ne m'est tombé sur la tête que le lendemain matin, avec ce stupide accident. Quand j'y repense, j'ai encore l'estomac qui se contracte. Il m'avait bien semblé qu'il se passait un truc pas normal. Mais j'étais trop près de l'orgasme. Oui, à la différence des autres fois, je me sentais mieux en elle, tout en elle. Et puis aussi bien par sa fougue que par ses effusions de joie, Elvire me submergeait. Je ne voulais pas la frustrer sans doute. Un peu de fatalisme n'était pas non plus absent de ma passivité. Et j'ai joui, et c'était déjà trop tard.

– Oh ! mon Dieu !

Qu'est-ce que Dieu, encore, avait à foutre dans tout ça ? Elvire maintenait une main devant sa bouche. Sous ses cheveux bouclés dégoulinant de sueur, ses yeux vert absinthe exprimaient l'horreur devant la dernière chose qui devait nous arriver. J'étais complètement abattu, ne sachant trop quoi dire.

Le latex avait glissé mais pas dans le sens auquel on aurait pu s'attendre. Le préservatif ne formait plus qu'un manchon tirebouchonnant à la racine, le réservoir faisait comme un ergot sur mon sexe encore dur. Et de sperme, point.

Elvire s'est blottie contre moi et s'est mise à sangloter. Je lui caressais les cheveux. Je l'ai encouragée à passer sous la douche, je ne sais pas moi, mais qu'elle fasse quelque chose ! Le sort en est jeté... Elle ne croyait sans doute pas si bien dire. Mais c'était trop con, vraiment trop con. Et puis nous ne devions peut-être pas en faire tout un drame.

– De l'eau froide, Elvire...

– Tu ne voudrais pas que je me mette de l'eau glacée dans la chatte !

– Ça ne sert à rien de t'énerver, ce n'est tout de même pas de ma faute !

– Mais tu ne comprends pas, Simon, cela ne pouvait pas arriver à un pire moment ! Daniel ne l'acceptera jamais, moins encore venant de toi !

Je savais qu'elle était dans le vrai, mais je n'ai pas pu m'empêcher de lui demander :

– Qu'est-ce que j'ai ? Pourquoi pas moi ?

– Je t'en prie, Simon, ne m'oblige pas à te faire de peine...

– J'en ai peut-être besoin, au contraire !

– Comme tu voudras... Pour Daniel, tu n'es rien, Simon, un moins que rien...

– Il te l'a dit ?

– Et comment ! Tu es son jouet, et ça l'amuse que tu te plies à tous ses caprices...

Elvire avait touché un point très sensible. J'avais conscience d'être ce qu'elle disait, que Daniel se satisfaisait sournoisement de cet état de fait, mais de me l'entendre dire par Elvire me faisait peine comme je n'aurais pu le soupçonner. J'étais terrassé, j'avais du dégoût plein la bouche, je me demandais même dans quelle mesure Elvire ne me dégoûtait pas elle aussi, à cause des liens du sang, à cause de la facilité avec laquelle, somme toute, elle m'avait balancé tout ça à la gueule. M'a traversé l'idée que je pourrais mettre les voiles, les plaquer là, elle et son abruti de frangin, et puis j'ai repensé à ce fameux soir où le regard de Daniel avait croisé le mien dans le rétroviseur, comme pour m'expliquer que dès lors nos destins étaient liés à jamais, que je ne pourrais me soustraire à sa volonté.

– Ton frère... j'ai commencé.

– Quoi, mon frère ?

Non, si je lui livrais mes soupçons maintenant, cela ne ferait que l'affoler plus encore. Et puis me croirait-elle ?

– Rien... Admettons que tu tombes enceinte, admettons. Tu pourras toujours avorter...

– Ah oui ! Et tu penses que c'est si simple ! Daniel finirait forcément par l'apprendre, il me persécuterait pour savoir qui est le père... Et puis suppose que je m'en remette à un toubib pas trop regardant, que je trouve le moyen de détourner la procédure classique, il me faudra de l'argent, et je n'en ai pas, à moins d'en demander à Daniel. Tu en as, toi, de l'argent ?

Non. Et je n'avais pas abordé la question sous cet angle. En tout cas, je pouvais reconnaître à Elvire un esprit d'une vivacité étourdissante. Elle avait réponse à tout. Et je n'ai pas aimé la manière dont elle s'est esclaffée quand je lui ai répondu :

– Daniel me donne juste de quoi ne pas crever de faim...

– Ah Ah ! TU VOIS ! TU VOIS !

– Calme-toi ! Tu te comportes comme si tu étais enceinte depuis déjà deux mois...

– Je te l'ai dit, ça ne pouvait pas arriver à un pire moment, oh Simon !

– Cesse donc de te lamenter, il faut que nous réfléchissions, il doit bien y avoir une solution.

21

Elvire

La solution était toute trouvée, mais je me gardai bien de pousser plus loin mon avantage.

Je rentrai rue Ozenne et me refusai à revoir Simon avant plusieurs jours. Tous les matins j'appelais en moi des images terrifiantes pour me composer un visage de circonstance. Je me présentais ainsi à ma fenêtre et engageais un dialogue silencieux avec lui.

Je lui parlais par signes. Très vite, je lui fis comprendre que je n'avais pas eu mes règles. Puis que Daniel avait resserré sa surveillance et m'interdisait de sortir. Simon devait reconnaître que mon intuition ne m'avait pas trompée : Daniel se doutait bel et bien de quelque chose. De quoi ? Nous pouvions aisément le deviner.

Le lendemain, je me mis tout bonnement à pleurer à chaudes larmes. De là où il était, Simon ne pouvait s'apercevoir de mon ivresse. Je venais d'imaginer que maman était morte, je me persuadais de cette terrible réalité. Simon ne tenait plus en place sur son siège, je le sentais peser le pour et le contre, je le souhaitais prêt à vouloir régler le dilemme dans le sang. Comme il m'eût été plaisant que Daniel le surprenne ainsi empêtré dans ses conjectures, tout entier tendu vers ma fenêtre.

Seulement Simon demeurait extrêmement vigilant, à tel point que j'en vins à convenir de sa couardise. Ne le trahissaient même pas ces rides profondes qui marquaient son visage. Je lui causais bien du souci, au cher ange... D'ailleurs il commençait à s'oublier un peu. Ses cheveux repoussaient sur son crâne, je le trouvais moins beau.

J'en rajoutai alors sur le thème de la femme délaissée. Quel homme était-il donc pour me négliger de cette manière ? Le besoin que j'avais de lui devenait insoutenable. À qui donc pouvais-je me fier sinon à lui ? Je n'en pouvais plus de cette attente. SIMON, JE N'EN PEUX PLUS !

Je venais d'éclater en sanglots, de déchirer ma chemise de nuit. Que Simon ait tout le loisir de goûter une dernière fois au corps qu'il prétendait couvrir de tout son amour... Il s'agissait d'une menace à peine voilée. Théâtrale, je posai une main sur mon ventre, oui, j'attends un enfant de toi, et Daniel ne s'en laissera pas conter, tu peux me croire.

Je regagnai mon lit au moment où Daniel ouvrit la porte de ma chambre. Je m'empressai de glisser sous le drap, je me couchai en chien de fusil. Daniel n'avait pas de mauvaises intentions. De me voir le visage barbouillé de larmes sembla même le consterner. Le ton de sa voix ne démentit pas cette insupportable impression. S'il m'avait surprise nue devant la fenêtre, peut-être aurait-il nourri quelque doute. Faute de quoi, sans savoir qu'il satisfaisait en moi un plaisir d'une singulière résonance, il s'attacha aussitôt à tout faire pour me consoler.

– Mais qu'est-ce qui te prend, Elvire ?

– Je pleure, j'ai bien le droit !

– Tu as tous les droits... Pourquoi pleures-tu ?

Daniel usait maladroitement de ses doigts pour sécher mes larmes.

– Je t'en prie, Daniel, ne me demande pas de faire l'amour avec toi !

– Ce n'est pas dans mon intention, Elvire. Je te l'ai dit, beaucoup de choses sont en train de changer, tu n'as plus rien à craindre de moi.

Je ne lui répétai pas que nous avions atteint le point de non-retour.

Maintenant le ver était dans le fruit, son engeance dans mon sein, et elle serait monstrueuse. Trop tard, oui, cela l'était biologiquement désormais. Néanmoins, je pensai qu'à quelques jours près, à en juger par ses nouvelles dispositions, plus rien ne m'aurait contrainte à une telle extrémité. Ne l'aurais-je même pas envisagée... J'avais conçu un plan machiavélique dans lequel, contrairement à mon frère, je devenais la victime consciente, consentante, j'étais tombée dans mon propre piège. C'eût été beaucoup plus simple si Daniel avait continué à me maltraiter. J'en vins à le regretter et me remis à pleurer.

Penser que Daniel n'a changé en rien, qu'il joue encore avec moi, qu'il m'offre un sursis, que cela ne saurait durer.

– Tu peux arrêter de prendre la pilule, si tu le veux...

Je me mordis les lèvres pour contenir l'envie de lui rétorquer que j'avais cessé de la prendre depuis déjà longtemps.

– Un jour, il faudra que je te confie un secret.

– Un secret ?

– Oui, quelque chose qui nous concerne tous deux, mais plus tard, lorsque je serai parvenu à me faire pardonner, ne serait-ce qu'un peu... tu crois que j'y arriverai ?

– Tu m'en demandes trop...

– Tu as raison, rien ne presse... En attendant, je n'apprécie pas trop de te savoir toute la journée dans cette chambre, ça va finir par nuire à ta santé.

– Ma santé...

– Mais regarde-toi ! On dirait que tu n'as pas vu la lumière du jour depuis des semaines. Pourquoi ne sors-tu pas ? Si tu as besoin d'argent, tu me le demandes, *nous* n'en manquons pas...

– Je me sens très bien comme cela...

– Je pense me passer bientôt des services de Simon, mais si tu le veux, je peux le mettre à ta disposition, il t'emmènera en balade, tu ne risques rien avec lui, et puis il est comme toi, il ne tient pas l'alcool !

– Non !

– Pourquoi ?

– Il... il ne me plaît pas !

– Tu prétendais pourtant le contraire.

– Je voulais te taquiner. Non, vraiment, il a une tête de faux jeton ! Je n'ai eu l'occasion de discuter avec Simon qu'une seule fois mais, tu le sais, je me fie toujours à ma première impression. Fous-le dehors, je ne m'en porterai pas plus mal !

– Comme tu voudras...

Loin de moi la volonté de me mettre à l'abri de tout soupçon, puisque d'un soupçon il n'y avait même pas l'ombre de l'ombre.

Je continuai cependant mon petit cérémonial du soir, j'ôtai le comprimé de la plaquette et, plutôt que de l'avaler, je le jetai dans le lavabo. Pour peu que

Daniel attache de l'importance à ce détail, il penserait que le chemin était encore long pour me gagner à son affection.

L'évocation d'un secret qui nous concernerait tous deux suscitait en moi de la curiosité. Afin d'en savoir plus, j'aurais pu me montrer plus conciliante, mais je m'épargnai le moindre effort. J'étais plus résolue que jamais.

Le lendemain matin, je ne « parlai » pas à Simon. Je restai éloignée de la fenêtre. J'espérais qu'il interprétait mon absence comme je l'entendais. De son côté, il ne pouvait imaginer que je me sentais bien en moi-même. Je le désirais les nerfs à fleur de peau et souhaitais qu'il prenne sans tarder la voie des décisions irréversibles. Je comptais les heures qui me rapprochaient de ma délivrance. Je laissai s'écouler encore une journée.

Aussitôt qu'il m'aperçut, Simon se mit à agiter les mains. Il avait besoin de me parler. Pouvais-je l'appeler chez lui ? Non, surtout pas. Les seuls moments que j'avais de libre, il était en compagnie de Daniel. Mais, tout de même, il devait bien y avoir un moyen !... Certes, mais je ne voulais pas prendre de risques, Daniel ne m'accordait aucun répit, et puis les rares fois où il s'absentait, il m'enfermait dans ma chambre...

Et puis, autant qu'il l'apprenne par moi : Daniel était décidé à se passer bientôt de ses services. La chose n'était pas facile à expliquer avec les mains et, soit que je me faisais mal comprendre, soit qu'il s'obstinait à ne pas y croire, Simon mit du temps à l'admettre. Je vis son visage se décomposer plus sûrement que si je lui avais appris que ma vie était menacée. Pareil apitoiement sur soi-même arracha à mes lèvres une grimace de dégoût. Dans la seconde, je faillis même en rire, je me retins de justesse.

Pauvre Simon... Quoi qu'il arrive, il retournerait bientôt à la condition qui n'avait jamais cessé d'être la sienne. Qu'il ne se leurre pas, nous n'étions pas du même monde et ne le serions jamais. Déjà que j'avais permis ses mains sur ma peau, ses humeurs mêlées aux miennes... Il n'était qu'un parasite. Il serait toujours à faire l'aumône, à vivre aux crochets d'un monde que sûrement, secrètement, il abhorrait.

Je n'étais plus qu'une vague d'amertume, j'en éclaboussais les murs autour de moi. J'exprimais en pensées ce que je n'aurais osé en paroles. À cette distance, Simon ne pouvait se défier de moi. Attribuait-il certainement mon attitude colérique au désespoir et à lui seul. Sciemment, je donnais à voir un spectacle affligeant. Mais qu'attendait-il donc ? Que je sois enceinte jusqu'aux dents ! Que Daniel n'ait fait qu'une bouchée de moi ! Et ne crois pas t'en sortir sans une ecchymose, je connais mon frère, il serait capable de tuer, Daniel est un homme d'honneur, mais sais-tu seulement ce que cela signifie ?

Et puis je rappelai en moi cette vision effroyable : ma mère, morte. Et je pleurai, ne me forçai pas trop pour être secouée de sanglots. Et ce que je pensais être une simple comédie se transforma soudainement en une réelle crise de nerfs. J'abandonnai Simon à ses hésitations, la fenêtre à ses pâles reflets, me précipitai sur mon lit et enfouis la tête dans l'oreiller. Je redoutais d'en saisir la cause, j'étais allée beaucoup trop loin et me refusais à le reconnaître, j'avais glissé tout au fond du piège, de mon piège.

Oh ! Simon, comme j'ai besoin de toi ! Ne m'abandonne pas, pas maintenant. Tu me l'as promis, t'en souviens-tu ? Je sortis de ma chambre avec ces mots au bord des lèvres. Je dévalai les escaliers, traversai le hall.

Sur son visage, je lus d'abord la stupeur. Il recouvra rapidement ses esprits et son regard partit s'égarer sur les fenêtres du rez-de-chaussée. Il y rebondit et lorsque Simon reposa les yeux sur moi, il paraissait soulagé. Je ne lui laissai pas le temps de reprendre son souffle.

– Tu me l'as promis, t'en souviens-tu ?

Et je tournai les talons, le renvoyant ainsi à son manque de courage.

22

Julia

Le vendeur m'en avait vanté tous les mérites. Moi-même, qui n'attache aux choses du quotidien et aux ustensiles de cuisine en particulier qu'une importance relative, je le trouvais beau.

Au premier regard, on aurait cru un dôme de verre fumé fixé à ce qui pouvait évoquer le fuselage d'un avion. Pour peu qu'on observât l'objet de plus près, on remarquait ensuite que le dôme contenait une sorte d'hélice en acier inoxydable dont on pouvait libérer l'accès grâce à un minuscule bouton-poussoir situé sur le côté. Bien sûr, il ne fallait pas oublier de reverrouiller le récipient avant utilisation, quoiqu'un système de sécurité empêchât les pals de fonctionner si on omettait de le faire. Le vendeur était formel : aucun fruit ne résistait à cette machine, pas même une noix. À cet égard, il m'expliqua aussi que mes jus ne seraient que meilleurs si je m'épargnais la peine d'éplucher mes oranges ou mes pamplemousses. Il ne m'en fallait pas plus pour me convaincre que je faisais un bon achat.

Le garagiste ne m'avait pas prescrit la dose mortelle, aussi je réfléchis longuement avant de me mettre à l'œuvre. Je regardai tous les fruits éparpillés sur la table comme si chacun aurait pu me fournir une parcelle de vérité. J'avais remis l'antigel sous l'évier après en avoir versé, de manière croissante, dans trois verres d'identique grandeur.

J'avais bien conscience que tout était dans le dosage, qu'il convenait de masquer à la fois le goût et l'odeur du poison, mais aussi que plus je tarderais à agir et plus ma détermination en viendrait à fléchir. J'étais folle de rage mais je me connaissais : ma colère pouvait s'estomper aussi rapidement qu'elle s'était déclarée, j'étais même capable au bout d'un moment de continuer à fréquenter Daniel, d'admettre son charme et de reconnaître en lui un homme que j'avais aimé.

Que j'aimais. Et parce que je l'aimais, parce qu'il avait trahi ma confiance, il devait mourir. J'aurais peut-être accepté qu'il eût une femme s'il ne m'avait pas affirmé le contraire. Jacky avait raison : Daniel avait une tête de coupable. Coupable de quoi ? Il l'ignorait. Moi, maintenant, je savais.

Je ne pensais pas une seconde que la cause et l'effet fussent disproportionnés. La punition me semblait à la hauteur de sa duplicité. De toute façon, je vais toujours au bout de ce que j'entreprends, m'encourageais-je. Il ne m'était déjà plus permis d'envisager la possibilité de faire machine arrière.

J'en revins donc à ce qui me turlupinait : le dosage. Pour l'odeur, je pouvais juger par moi-même et il apparut que le deuxième verre ne dégageait pas d'émanation particulière après que je l'eus rempli de jus. Pour le goût, ça me paraissait beaucoup plus hasardeux. Ce que je n'ignorais pas, c'est que Daniel ne fumait ni ne buvait et que ses papilles gustatives étaient sûrement en bon état. Mais s'il lui était déjà arrivé de boire du jus d'orange, de pamplemousse ou de pomme, n'avait-il jamais dégusté un jus où se retrouveraient associés tous ces fruits ? Daniel serait d'autant moins surpris par la saveur de mon breuvage que sa composition en serait inédite, et puis je pourrais toujours lui dire y avoir adjoint quelques essences exotiques...

Je rebranchai le mixer après en avoir chargé le récipient, j'y fourrai également une banane et actionnai l'interrupteur. Très vite, je ne distinguai plus les pals à travers la bouillie de fruits qui, déchiquetés, soumis à la force centrifuge de la machine, se mirent à éclabousser le verre. D'abord épais, le jus se fluidifia progressivement. C'était un broyeur d'écorce et de pulpe d'une efficacité redoutable et quand je l'eus éteint, il ne flottait même pas l'ombre d'un pépin de pomme en surface.

Je goûtai à ma mixture, l'acidité du pamplemousse semblait y dominer mais cela ne la rendait pas pour autant imbuvable, au contraire. J'allai ensuite rechercher le bidon d'antigel sous l'évier. Sur la base de ma première expérience, je procédai à un nouveau mélange. Je n'oubliai pas d'ajouter force sucre, ainsi que me l'avait conseillé le garagiste. Le jus reposait maintenant dans une bouteille en verre que j'avais pris soin de laver. Pour donner un petit côté ludique à mon entreprise, j'y collai une étiquette sur laquelle j'écrivis : Fruits de la passion, cocktail sans alcool composé par mes soins.

Daniel ne fumait pas et pourtant j'avais trouvé un paquet de cigarettes dans sa poche. Sa femme fumait sans doute, en revanche. J'avais nettoyé la table, mis la bouteille au frigo mais laissé le robot bien en vue. Je pensais à des choses insignifiantes en le détaillant, la vie n'est faite que de cela, ma propre vie en l'occurrence. Lorsque plus tard je me souviendrais de notre liaison, me reviendraient à l'esprit non pas un livre, une musique ou une pièce de théâtre que nous aurions appréciés ensemble, mais un mixer et un cactus... Oui, mon existence reposait sur pas grand-chose et ça n'avait rien de drôle. Sans crier gare l'image de ma mère sur son lit de mort se rappela soudain à ma mémoire. En étais-je à payer la cruauté que j'avais manifestée à son égard ? Je refusai à songer que oui. Je préférai m'étonner de la manière dont je m'étais attachée à Daniel. J'avais la curieuse impression que nous devions être liés bien avant de nous connaître, par je ne sais quelle expérience commune, et que cela avait déterminé mon acharnement à vouloir l'aimer. Je m'étais reconnue en lui et cela m'effrayait désormais, me devenait insoutenable, à telle enseigne que j'avais besoin d'en finir avec lui, et donc certainement un peu avec moi.

D'une certaine façon, quand j'y repense, je ne fus pas entièrement responsable. Je n'ai pas eu à lui tendre le verre. Jusque-là ce n'était encore qu'un jeu, un jeu criminel certes, mais un jeu tout de même. Quand j'en ai eu assez d'observer ce foutu robot, je suis sortie pour prendre l'air, j'ai marché au hasard puis musardé chez quelques bouquinistes de la rue du Taur. Je me souviens que c'est ce jour-là que j'ai acheté les « Syllogismes de l'amertume » de Cioran, parce que le titre me plaisait et que, à peine le livre ouvert, j'étais tombée sur cette phrase : « J'ai perdu au contact des hommes toute la fraîcheur de mes névroses. »

Quand je suis rentrée, j'ai eu la surprise de découvrir Daniel dans la cuisine. Il scrutait le mixer sous toutes ses coutures comme s'il cherchait un défaut à sa conception ou que sa seule idée était de vouloir le démonter et le remonter en un temps record. Il leva vivement la tête pour me dire qu'il avait trouvé la porte ouverte et qu'il s'était donc permis de rentrer pour m'attendre.

Je lui souris. Non pas que je fusse heureuse de le revoir, mais la bouteille trônait à côté du robot, et elle était à moitié entamée.

– J'ai pris la liberté de me servir à boire... Tu as fait ça avec ça ?

Sa main voleta de la machine au verre presque vide qu'il avait près de lui. Je hochai silencieusement la tête.

– Fruits de la passion... il s'agit de notre passion ?

– Tout juste...

Sans doute, en reportant le verre à ses lèvres, voulut-il prouver qu'il se livrait corps et âme à cette passion. Il claqua la langue avec un sourire de complicité. Je sentis un frisson me parcourir l'échine lorsqu'il me fit remarquer que mon jus de fruit avait un arrière-goût bizarre – il me faudrait revoir le dosage.

– Qu'est-ce que tu as mis là-dedans ?

– De l'extrait de cactus !

Daniel ne perçut pas l'ironie dans ces paroles.

– De cactus ?

– Tu sais bien !

Alors seulement il éclata de rire.

– Ah oui ! J'avais oublié...

– Tu avais pourtant un grand projet à ce sujet, non ?

– Ouais, mais je me vois mal embaucher des gars pour faire du porte à porte afin de refourguer des Cereus Peruvia...

– ...nus Monstruosus.
– Eh, dis donc, tu as retenu la leçon !
– J'ai une bonne mémoire... Tu vas le regarder longtemps ?
– Quoi ?
– Ce mixer.
Je le plantai là et me rendis au salon. J'entendis le raclement de la chaise sur le carrelage. Quand je me retournai, Daniel était debout au milieu de la pièce. Il avait pris le temps de remplir son verre avant de me rejoindre. Soudain, je pensai que je pourrais avoir peur de cet homme. Il traînait derrière lui comme une ombre menaçante.
– Qu'est-ce que tu as ?
– Je suis nerveuse... Aurais-tu une cigarette ?
– Tu sais bien, Julia, que je ne fume pas !
– Ah oui ! C'est vrai...
– Tu n'as pas l'air dans ton assiette.
– Jacky me cause du souci, j'ai peur pour lui.
– Ça tombe bien, j'ai pensé justement à ton ami...
Je le considérai, très étonnée. Daniel s'empressa de poser son verre sur la table basse. Il ne s'était pas redressé qu'il me tendait déjà une enveloppe.
– Prends, tu la lui remettras.
Sans lui en demander la permission, aussitôt, je l'ouvris, elle contenait un chèque de vingt mille francs... Les mots me manquaient pour exprimer mon incrédulité.
– L'épreuve qu'il traverse est terrible, il aura besoin de cet argent...
– Qu'est-ce que tu en sais ?
– Il ne roule peut-être pas sur l'or.
– Jacky ne manque de rien.
– Alors disons que ça me fait plaisir.
– Le problème, c'est que Jacky ne l'acceptera pas.

– Je ne connais pas son nom, je n'ai donc pas libellé le chèque, aussi bien tu peux toi-même l'encaisser !

Et comme si Daniel venait de soulager sa conscience, il reprit son verre sur la table et en but une longue gorgée. J'imaginai l'éthylène glycol imprégner lentement ses tissus. Je glissai le chèque à l'intérieur du livre de Cioran que je venais d'acquérir.

23

Simon

De toutes ces journées je garde le souvenir d'une terrible tension dans mes chairs. Je ne pressentais que trop bien ce qu'Elvire désirait de moi. Toutefois, je feignais encore de ne pas le comprendre, il me fallait du temps pour me faire à cette idée, déjà que j'avais un mal fou à admettre que j'allais être père. Père, me disais-je, d'un enfant que j'aurais eu avec une femme par défaut.

Je ne souffrais pas tant de l'absence d'Elvire que des mauvaises nouvelles qu'elle m'annonçait quotidiennement. Elle me distillait le malheur à petites doses, sans que je sache si elle voulait ainsi me ménager ou jouer avec mes nerfs. Mais plus que d'apprendre que j'allais avoir un gosse, ou que Daniel allait bientôt me virer, c'était de son hystérie dont j'avais peur. Cette fille était capable des plus déraisonnables réactions. Elle me le prouva à maintes reprises, ainsi ce matin où sans se soucier de savoir si Daniel regardait ou non par la fenêtre, elle s'est pointée à moitié nue dans la cour pour me rappeler mon stupide serment. Et finalement, pour peu que je regarde les choses bien en face, j'ai pensé passer à l'acte non pas pour la sauver, elle, mais pour me protéger, moi.

Je ne me suis jamais senti aussi dépendant de la volonté des autres, de même que ballotté entre des sentiments aussi contradictoires, qu'en cette période. Par exemple, j'aurais dû me réjouir de la décision de Daniel. En soi, ça n'avait rien de tragique, au contraire, ça constituait même une chance inouïe, l'accès direct à une porte de sortie idéale : Daniel me souhaitait bon vent, santé et fortune, et je me volatilisais dans la nature. Seulement, j'avais la certitude que ça ne pourrait pas se passer aussi facilement. Je n'aurais pas sitôt quitté la ville que Daniel m'aurait remis la main dessus. Je l'entendais déjà me dire que j'avais humilié sa sœur, qu'elle était en cloque et que le prix à payer était celui du sang. Et si j'imaginais pareille éventualité, c'était qu'il ne me paraissait pas improbable qu'Elvire, aussitôt, crachât le morceau.

Si Daniel se doutait de quelque chose, il le cachait bien, soit dit en passant. Je n'avais plus à me plaindre de ses reproches. À l'occasion, je me permettais même de doubler des camions sur le périphérique sans réveiller sa fureur. Faut dire que nous avons roulé beaucoup au cours de ces quelques jours et que Daniel avait peut-être fini par vaincre ses vieilles peurs.

Daniel me parlait sans cesse de l'espoir que faisait naître en lui son logiciel. Il battait le pavé avec un entêtement que lui aurait envié le plus zélé des représentants de commerce. Je ne savais pas qu'il y avait autant de cliniques ou d'hôpitaux dans la région.

Faute de convaincre, Daniel avait les mots pour susciter la curiosité et obtenait des rendez-vous par dizaines. Fringué comme pour une investiture présidentielle, le sourire aux lèvres, il s'éloignait de la voiture et je le regardais avec un sentiment proche, je dois l'avouer, de l'admiration. Les entretiens duraient entre cinq minutes et une heure. Chaque échec le confortait dans son obstination, il ne se décourageait pas, son visage même ne se départait pas de ce sourire de gagneur, alors que j'aurais pu craindre, comme par le passé, de voir tomber le masque ou qu'il s'en prenne à la terre entière, à commencer par mézigue. Parfois seulement, après qu'on l'eut envoyé deux ou trois fois de suite sur les roses, il manifestait un peu de lassitude.

– Tu vois, Simon, je suis un être incompris.

Il croyait sans aucun doute à ce qu'il disait.

– Il n'y a pas un foutu diplômé dans ce cloaque pour comprendre que mon logiciel est d'un genre révolutionnaire. Ils sont tous à se plaindre auprès de l'État que leurs problèmes budgétaires sont insolubles et quand une réelle opportunité se présente à eux, ils lui tournent le dos.

– Hippocrate y est sûrement pour quelque chose...

– Hypocrite, oui ! Je vais te dire une chose, Simon, les industries pharmaceutiques sont trop puissantes, elles imposent une véritable dictature, elles s'inscrivent comme n'importe quelle autre industrie dans notre système de consommation. Il faut consommer ce qu'on produit, coûte que coûte. Un mec qui va calancher n'a pas besoin d'une tonne de médicaments, et c'est pourtant ce qu'on lui donne. À un certain stade, un mec, on ne le soigne plus, on le prolonge, et si on le prolonge, c'est qu'on y a intérêt.

Et puis, après un instant :

– Il y aurait beaucoup plus de types à cheveux longs s'il n'y avait pas de coiffeurs. À propos, tu te les fais repousser ?

– Oui...

– Ça te va bien... J'avais quelquefois l'impression de parler à Yul Brynner !

Il lui arrivait encore de rire. En fait, ses échecs n'entamaient pas foncièrement son moral. Souvent on aurait dit même qu'il s'en fichait, qu'il avait l'esprit ailleurs, ou que d'avoir prouvé ses capacités de réussite dans un projet où n'importe qui d'autre aurait perdu tout sens commun suffisait à son bonheur. Dès lors se moquait-il qu'on le prît ou non au sérieux.

– Tu as peut-être envie de plaire ?

J'en tressaillis. Je jetai un œil dans le rétroviseur mais Daniel n'y guettait pas ma réaction, il regardait par la vitre, rêveur ou préoccupé, je n'aurais su dire.

– Simon, sache que je vais t'augmenter...

Il continuait à jouer avec moi. Je ne sais pas ce qui m'a retenu de m'arrêter et de lui foutre mon poing sur la gueule. Les paroles qu'il prononça ensuite, peut-être. Des paroles qui méritaient beaucoup plus qu'une simple correction.

– Je n'ai jamais eu à me plaindre de toi, tu vaux beaucoup plus que ce que je te donne, je te propose le double dès aujourd'hui, je songe aussi à te déclarer, comme ça tu cotiseras, ça pourrait te servir plus tard...

Daniel se moquait toujours et encore de moi. Et si je n'y prenais garde, je perdrais la vie, après la raison.

Je me dis qu'il me faudrait tuer Daniel. Que ce serait lui ou moi. Et que sa mort devait intervenir avant qu'il n'ait eu le temps de me désarticuler entièrement, avant que je ne sois plus rien qu'un homme sans honneur et sans dignité.

La santé de Daniel a commencé à décliner peu de temps après ces louables résolutions.

Je fus d'autant plus surpris par la violence de son premier malaise que, à aucun moment jusque-là, je n'avais songé à faire la part entre ce qui était somme toute pour moi la manifestation habituelle de sa nature anxieuse et ce qui s'avéra en fait comme les prémices d'un mal plus réel et sans doute plus sournois.

Un soir, ainsi, tout a basculé. Sa main s'est abattue sur mon épaule. J'ai senti ses ongles me rentrer dans la peau. J'ai pensé qu'il allait ouvrir la portière avant que je ne me sois complètement arrêté sur le bas-côté. J'ai viré à droite et manqué de me prendre la glissière de sécurité. Daniel s'est précipité hors de la voiture. Il s'est mis à vomir. Il n'avait pu aller au-delà de la bande d'arrêt d'urgence. Il était agenouillé sur le bitume graisseux et se tenait le bide. Les phares de plusieurs voitures l'ont cueilli dans cette position dégradante.

J'ai pris soudain conscience de sa vulnérabilité. Je me suis demandé s'il y avait un démonte-pneu ou n'importe quel autre objet de ce genre dans le coffre.

Je n'avais plus le même homme dans le rétroviseur. En quelques heures, il avait tout perdu de sa superbe. Sa veste révélait des taches de dégueulis, sa chemise lui collait à la peau à cause de la sueur et il lui arrivait de s'éponger le front avec l'extrémité de sa cravate. Il y avait jusqu'à son ombre qui ne lui ressemblait plus.

Daniel était victime de douleurs abdominales de plus en plus fréquentes. Chacune avait pour corollaire des vomissements, lesquels l'affaiblissaient bien plus qu'ils ne le soulageaient. Sa respiration était saccadée. Il se montrait à nouveau irritable. Parfois,

Daniel tombait en léthargie et semblait ne jamais plus devoir en sortir. J'avais alors l'impression de conduire un moribond dont je pourrais disposer à ma guise.

Daniel finit par renoncer à vouloir commercialiser son logiciel. Du dernier rendez-vous qu'il obtint, je n'appris que le dénouement. Le directeur de la clinique lui fit observer que, selon lui, il ne tenait pas une forme resplendissante et qu'il ferait bien d'envisager des examens approfondis, que son établissement était à sa disposition.... En réponse de quoi, Daniel lui conseilla d'aller se faire mettre. L'homme en conçut l'idée jusqu'à même accepter que Daniel vomisse dans sa corbeille à papier avant de prendre congé. Des deux malabars qui le mirent à la porte, Daniel ne dit pas grand-chose, sinon que ça devait être deux tantouses, il le sentait à l'odeur, ils refoulaient la graisse de phoque...

Ensuite, pendant près d'une heure, il renoua avec une vieille habitude : il se mit à jouer à l'arrière de la voiture avec son cran d'arrêt. Souvent, son regard malade croisait le mien, et j'y lisais un sentiment proche de l'indignation. Il était évident que dans son esprit il était victime d'une malédiction, laquelle ne l'accablait pas maintenant par hasard. Je pensai que si on ne cueille pas le fruit sur l'arbre, il finit par tomber tout seul et pourrir.

Daniel en revint à parler d'Arachné. Il était en effet de ces audaces que les dieux ne pardonnaient pas aux humains. Qu'ils aient la prétention de chasser sur leurs terres et il leur en coûtait cruellement. Pour moi, Arachné était synonyme d'une cuite carabinée dont il suffisait que je me souvienne pour qu'une bouffée de chaleur me monte au visage.

De fil en aiguille, il me parla également de sa mygale. Il me la décrivit si bien que j'en vins à me persuader de sa présence à côté de moi. Elvire ne m'avait donc pas raconté d'histoires : cette araignée existait, et je n'aurais pas été moins inquiet si Daniel m'avait appris que c'était elle qui les avait mis tous deux au monde...

– Je connais tout de sa nature, je n'aurai pas longtemps à m'habituer à ma nouvelle condition...

Sa voix était devenue comme un murmure. Seule la difficulté avec laquelle il respirait atténuait la menace sous ses paroles.

– Moins d'une seconde, c'est le temps qu'il faut à une mygale pour tuer une souris.

Si je n'avais jeté de temps à autre un coup d'œil dans le rétro, j'aurais pu croire que Daniel avait déjà mué et que je n'en avais plus pour longtemps avant de subir le même sort. À croire que ma bonne santé le contrariait et qu'il désirait m'atteindre moralement.

Je regardai mes mains cramponnées au volant, sentis la sueur sur mon front, j'avais encore apparence humaine, les souris suaient-elles ?

– La mygale a l'œsophage trop étroit pour ingurgiter directement sa proie...

Daniel se tenait le ventre d'une main, le visage trempé d'une mauvaise humeur. La lumière crue des réverbères qui le ravissaient régulièrement à l'obscurité rendait sa peau plus blafarde encore. Nous croisions peu de voitures mais chacune, à mon idée, constituait un recours possible.

– La mygale mâche, mastique longuement la souris pour en faire une sorte de pâtée. La mygale est patiente, et quand la pâtée est à point, à son goût, elle l'absorbe lentement à la manière d'une pompe, elle la suce, l'aspire... il ne reste plus rien de la souris.

Ses lèvres s'arrondirent et sa bouche expulsa un épouvantable bruit de succion. Un instant, je ne vis plus que le blanc de ses yeux injectés de sang et les nerfs de son cou se tendre sous l'effort qu'il produisit pour absorber la souris...

24

Elvire

L'ampoule rouge clignota au-dessus de la porte de cuisine. Je rangeai la bouteille de porto sous l'évier et dirigeai mes pas vers le bureau de Daniel.

Son ombre se découpait sur le parquet. Seule la lampe au néon était allumée. Daniel me tournait le dos, sa silhouette vacillait près de la pyramide de verre.

Complice ne bougeait pas sous le feu de son regard. Je me demandai qui, en fait, exerçait son pouvoir hypnotique sur l'autre. Je demeurai à distance respectable, sans oublier que mon frère n'était pas censé connaître la relation étroite qui s'était établie entre sa créature et moi.

La voix de Daniel s'éleva dans le silence comme une plainte.

– Arachné a tué la souris mais ne la mange pas, j'en viendrais à croire qu'elle a appris la cruauté, elle aussi...

Comme si, à ton contact Daniel, on pouvait apprendre autre chose.

J'espérais, j'en brûlais d'impatience, que le charme

opérerait également sur Simon. Je le sentais prêt à exaucer mes vœux. Ce matin, à nouveau, il m'avait suppliée de lui téléphoner, et j'avais été moins catégorique dans mon refus. Simon était à point, je me préparais à faire monter la pression d'un cran...

Je remarquai la sueur qui dégoulinait par tous les pores de son visage. Daniel sembla pris d'un subit étourdissement, chancela et agrippa le meuble afin de maintenir son équilibre. Complice vit sans doute dans ce mouvement déconcertant une menace car, à reculons, elle se rencogna aussitôt dans un angle de sa demeure. Daniel porta une main à sa bouche comme pour s'empêcher de vomir.

– Elvire, je dois te dire...

Sa phrase s'acheva prématurément dans un rot. Ses jambes se dérobèrent sous son poids.

J'allai sans hâte jusqu'à lui. Je dénouai sa cravate et lui pris le pouls : il battait, faiblement, mais il battait. Daniel vivait encore. L'inverse m'eût passablement contrariée.

Je m'étais ressaisie. À la pensée coupable d'avoir été beaucoup trop loin et d'en souffrir avait succédé celle, plus apaisante, de laisser le destin s'accomplir, pour la simple raison, justement, que je n'étais pas allée aussi loin par hasard, qu'il devait en être ainsi. Assez d'apitoiements, assez de remords, si tant est que j'en aie eu vraiment un jour.

Mais je ne voulais pas que Daniel succombe d'une manière autre que celle que j'avais envisagée. Daniel mourrait, oui, des mains de Simon. Je désirais en avoir la preuve. Après, je garderais Simon sous ma coupe. Je le chasserais de ma vie et il n'aurait rien à y redire. Je lui dirais que l'enfant n'était pas de lui, peut-être bien. Qui sait si je n'en accoucherais pas à demeure. Je me débrouillerais seule. Je ne porterais pas ce monstre à mon sein. J'en ferais don à Complice. *Personne n'en saura rien. Je serai libre, libre et riche.*

Daniel ne reprenait pas ses esprits. Je le traînai dans sa chambre et le couchai dans son lit. Je tirai une chaise et m'assis.

Je pensai à ce que serait ma vie après sa mort, me demandai à combien s'élevait la fortune de mon frère, *notre* fortune, comme il aimait à le préciser il y a peu. Je sortirais maman de sa clinique, la ramènerais à la maison, quoique de subir vingt-quatre heures sur vingt-quatre la présence d'une femme sénile à mes côtés ne m'enchantât plus guère...

Daniel avait décidément choisi un drôle de moment pour tomber malade, cela m'enlevait une partie du plaisir. À la mort de Père, Daniel m'avait confié que s'il devait lui arriver pareil malheur, il ne se fierait jamais à l'avis des médecins, qu'il ne deviendrait pas un cobaye entre leurs mains, qu'il préférerait encore crever seul dans son coin. J'étais satisfaite de constater qu'il ne déviait pas aujourd'hui de ses propos d'alors.

Oui, Daniel avait de drôles d'idées parfois. En fin d'après-midi, une femme avait cherché à le contacter par téléphone. Je me permis de lui demander ce qu'elle lui voulait. Elle me raconta une histoire idiote, comme quoi Daniel Lestrade avait conçu un projet au demeurant loufoque mais qui, à la réflexion, offrait de réelles perspectives commerciales. Je m'enquis naturellement de ce projet aux retombées juteuses et cette fille me rétorqua avec une effronterie rare que Daniel m'en avait forcément touché deux mots. Après un moment où je sentis sa voix trembler, elle consentit à me dire de quoi il retournait exactement, à savoir que Daniel, *mon mari*, avait le désir d'inonder le marché, en commençant par les entreprises équipées en informatique, de « cactus capteurs d'ondes électromagnétiques ». Avant qu'elle ne continue à égrener son chapelet d'inepties, je la coupai net et lui précisai que Daniel Lestrade n'était en aucun cas mon mari, mais mon frère. Cette révélation parut la troubler. Elle exigea alors de parler à l'épouse de mon frère. À quoi je lui répondis que mon frère n'était pas marié et que si tel était le cas, je serais la première au courant. En outre, je ne lui connaissais pas de relation... Il s'écoula moins de trois secondes avant qu'elle ne me raccroche au nez.

Daniel respirait avec peine. Je branchai le radiateur et me déshabillai. Entièrement nue, je m'approchai tout près du lit.

Je secouai Daniel. Il grogna et ouvrit les yeux. Il parut ne pas me voir d'abord, puis il affûta son regard, esquissa un geste de la main. Il murmura :

– Elvire, qu'est-ce qui te prend ?

– Ma nudité t'effraie, peut-être ?

– Tu as bu ! Rhabille-toi, laisse-moi seul...

– Non... Regarde-moi bien ! Tu ne constates rien de troublant, rien qui n'aiguise ta curiosité ?

– Elvire, ça suffit, je...

– Ou ton étonnement ? Ou ta colère ? Tu ne trouves pas à mon ventre comme une rondeur suspecte ?

Daniel banda ses muscles et se redressa sur le lit, lentement. Il balbutia :

– Tu es...

– Je suis enceinte, oui.

Je laissai le silence donner du poids à mes paroles, je lui accordai un répit pour qu'elles prennent le temps de s'incruster profondément dans son esprit, je désirais qu'elles y produisent le fracas d'une grosse vague qui s'en vient claquer sur des rochers, qu'elles souillent et tourmentent jusqu'à la plus petite parcelle de matière grise sous son crâne.

– De qui ?

– De qui ? Mais de qui veux-tu que je sois enceinte ?... De toi, bien sûr !

– Mais...

– J'ai cessé de prendre la pilule quelques jours avant notre dernier rapport. Désolant, n'est-ce pas ?

Ses yeux me disaient pourquoi ? pourquoi ? et contenaient une indicible déception.

– Tu ne m'en aurais pas crue capable, hein ?

– Tu peux encore avorter, je te donnerai de l'argent, tu le dois.

– Donne-moi une bonne raison, hein, donne-m'en une ! Non, ce gosse verra le jour...

– Mais qu'est-ce que tu veux, Elvire ?

– Ce que je veux ! Qu'il te ressemble, que je puisse me venger de toi à travers lui. Que chaque jour qui passe, il te maudisse !

– Je t'ai pardonnée, je pensais que tu me pardonnerais à ton tour...

– Je ne doute pas qu'il me répugne dès l'instant où je l'expulserai de mon ventre. J'ose croire qu'il est déjà aussi sinon plus taré que toi. Que je sache, le même sang circule dans nos veines, en partie du moins, et avec un peu de chance je mettrai au monde un bossu !

– Ne l'espère pas trop... Elvire, je dois te dire...

– Tais-toi...

Je ramassai mes vêtements et sortis de sa chambre. Je me rhabillai dans le bureau. J'adressai un petit signe à Complice. *Sois patiente, tu en auras ta part...*

Dans le hall, je décrochai le téléphone. À cette distance, Daniel ne pouvait pas m'entendre. Je composai le numéro de Simon.

Je me ravisai. Quelques secondes encore... Je rappelai en moi des images terrifiantes. Moi, morte, sans avoir pu profiter de ma liberté, de ma fortune. Les larmes inondèrent bientôt mon visage. Je repris le combiné sur la console.

Simon décrocha à la troisième sonnerie. Haletant.

– Elvire !

– Oh Simon, Simon...

– Mais, bon Dieu ! tu vas me dire ce qui se passe ?

– Simon, tu ne comprends pas ? Mais, Simon...

– Calme-toi... Raconte-moi...

Je commençai à lui dire la vérité, d'un trait.

– Daniel m'a surprise sous la douche, il a remarqué le renflement de mon ventre, je porte déjà bien *notre* enfant, tu sais...

– Ensuite.

– Eh bien ! comme je refusais de lui révéler qui était le père, il a...

Je me regardai dans le miroir situé au-dessus de la table du téléphone.

– Simon, j'ai eu droit à tous les outrages ! Je ne suis plus que l'ombre de moi-même, je suis pleine de bleus, j'ai un œil au beurre noir, des ecchymoses sur tout le corps...

– Et...

– Oui, Daniel sait tout. TOUT !

Je raccrochai.

Je courus dans la salle de bains.

J'empoignai le lavabo, m'accroupis à moitié et y allai franchement. Une grosse bosse apparut sur mon front. Je m'y repris à trois fois avant d'obtenir le résultat désiré au niveau de l'œil gauche, je ne parvins pas à donner à mon poing suffisamment de mordant et je me frottai la cornée avec un peu d'alcool. Je me pinçai violemment les cuisses, les bras, les seins... Ma peau était très sensible, elle bleuit aussitôt. Daniel avait de drôles d'idées. Normal qu'il m'ait mise dans un drôle d'état.

25

Julia

Le téléphone sonne, j'ai peur que ce soit Jacky. J'ai tourné la page, je ne veux plus le revoir. Je décroche. Roland. Je n'en suis pas soulagée pour autant.

– Coucou, c'est moi !

Non, Roland ne m'a pas oubliée.

– J'ai changé de psy, l'autre me parlait comme si j'étais fou !

– Et maintenant ?

– Eh bien ! faut voir... Il me conseille de me marier mais je crois qu'il procède par euphémismes, si vous voyez ce que je veux dire !

– Je vois très bien, et je pense aussi que cela vous ferait le plus grand bien...

– Oh ! Alors voilà : acceptez-vous de vous marier avec moi, Julia ?

Mariage... Ce mot, pour moi, est désormais synonyme d'un énorme gâchis.

Daniel prenait goût à mon jus de fruit, il louait son onctuosité, mon savoir-faire, je veillais à ne jamais en manquer, j'avais modifié les proportions. À chacune de ses visites, il en consommait plusieurs verres.

Je me souviens de cet après-midi où il me prit tendrement la main. Daniel n'était pas encore au plus bas, mais je devinais qu'il commençait à souffrir et prenait sur lui-même pour ne pas le montrer. Je pensais que s'il ne restait plus aussi longtemps, c'était par crainte d'une défaillance en ma présence. La veille au soir, il avait refusé que je le raccompagne sur le palier. J'avais refermé la porte, j'y avais collé l'oreille, j'avais cru l'entendre vomir, il m'avait semblé qu'il aurait eu besoin d'un bon siècle pour descendre les escaliers.

Ses mains étaient moites. Son sourire n'avait encore rien d'une grimace.

– Julia, j'ai beaucoup réfléchi... Voilà, j'aimerais que nous légalisions notre relation !

– Légalisions notre...

– Oui, j'aimerais que tu acceptes de me prendre pour époux !

Cela me fit l'effet d'une douche froide. S'il voulait me faire une blague, ça n'avait rien de drôle. Je contins mon envie de lui avouer que je le savais déjà marié, et que dans peu de temps il le paierait chèrement. Je distinguais encore Daniel à travers les larmes qui brouillaient mon regard. Je ne me suis jamais sentie aussi femme qu'en cet instant.

– Mais qu'est-ce que tu as, Julia ?

Et de s'agiter autour de moi, de me servir un verre de jus de fruit... Je l'acceptai par pure politesse... Je n'y portai pas les lèvres, le vidai dans l'évier dès qu'il me tourna le dos.

– J'aimerais, moi, que tu me laisses seule... nous en reparlerons demain, si tu veux...

Daniel me demanda d'y réfléchir sérieusement et

s'en alla. Je n'y comprenais plus rien ou j'avais trop peur de comprendre, ce qui revenait au même. Je préférais encore penser que Daniel jouait un jeu dont je ne saisissais pas le sens et que la punition que je lui infligeais était doublement méritée.

Je renonçai à tourner en rond. J'enfilai un jean, mon blouson d'aviateur, chaussai mes lunettes noires et me rendis au Zanzi.

Ambiance de fin de journée, un minimum de spots allumés. Tout doux, Jean-Roger Caussimon chantait « Orly-bar ». Pas de Gildas en train de balayer la salle, mais un jeune gars au comptoir, à essuyer les verres, habillé comme un moussaillon, avec une musculature de discobole, peu de cheveux sur le bulbe et un faux diamant dans l'oreille. Je me collai au zinc et commandai un martini-gin, double. Il me considéra longuement d'un œil appréciateur.

– Ça prend pas, dit-il.

– Qu'est-ce qui prend pas ?

– Notre clientèle est exclusivement masculine. Désolé.

Mariage... Comme si la proposition de Daniel, toute saugrenue qu'elle fût, avait fait ressurgir en moi, d'un coup d'un seul, toute ma féminité. Je ne faisais plus illusion. Je me forçai à sourire.

– Je suis une amie de Gildas, Gildas me tolère, même au Zanzi...

– Alors, si tu es une amie et qu'en plus il te tolère !

Je sentis percer l'ironie sous ces paroles. Je l'invitai à m'en dire plus.

– Tu bois quoi ?

– Martini-gin...

– Ah oui ! c'est vrai... Ce que je veux dire c'est que

Gildas ne tolère plus grand monde en ce moment. Je crois qu'il pète les plombs, en série, et ça produit de putains d'étincelles. De son propre aveu, il marche sur sa bite...

Son visage se fendit d'un sourire et il se pencha vers moi, conspirateur.

– Si t'es son amie, tu peux savoir, si tu ne le sais déjà...

– Bon, tu accouches !

– Chut ! on a du monde !

Ouais, un mec tout seul assis en tailleur au milieu de la piste de danse, un mec qui avait un gros chagrin, à en juger par la manière avec laquelle il tortillait son mouchoir.

– Bon, mais que ça reste entre nous : Gildas ne peut plus voir les pédés en peinture !

Ça le faisait marrer, il en aurait fait sauter les boutons de ses jeans.

– Et puis c'est pas tout, Gildas va rebaptiser le Zanzi, Au Sarcome de Kaposi, ça va s'appeler...

– Foutre !

– Ne parle pas de malheur, ne parle pas de malheur...

Je bus une gorgée de mon martini-gin.

– Moi, c'est Nico.

– Julius, quand je suis au Zanzi.

Je mis du temps à reconnaître le mec au gros chagrin. Le mouchoir aurait dû pourtant me mettre la puce à l'oreille. Coulis de Framboise avait changé de teinture, Gildas m'aurait sans doute corrigée sur-le-champ : de peinture, eu égard à ses dispositions du moment. Vert émeraude, comme si Coulis se voulait un tant soit peu en harmonie avec le Pipermint Get 27 qu'il picolait entre deux crises de larmes. Il y avait de fortes chances pour que Coulis se soit fait lourder, que ce soit encore tout chaud.

Mariage... Je pensais aussi au chèque que j'avais maintenant dans mon portefeuille. Vingt mille francs. Que je ne proposerais pas à Jacky tant je savais qu'il les refuserait. Jacky n'aimait pas Daniel. Daniel n'assumait pas son homosexualité. Daniel n'acceptait pas de voir la vérité en face et trouvait en moi une sorte de compromis. En me confiant ce chèque, Daniel m'avait donné l'impression de vouloir soulager sa conscience. J'avais découvert un couteau à cran d'arrêt dans sa poche. C'était avec une arme analogue, à en croire les journaux, que l'on avait assassiné Georges. Daniel savait que Jacky était l'ami de Georges, que Jacky était mon ami. Daniel avait des remords. Daniel avait tué Georges. C.Q.F.D.

Non, cela ne tenait pas debout. J'avais l'imagination fertile et je cherchais tout simplement à agencer les faits de façon à justifier l'acte immonde que j'étais en train de commettre.

Non, la réalité, c'était que j'avais empoisonné Daniel à l'antigel et que Daniel, cet après-midi, m'avait demandée en mariage.

La réalité, c'était que j'étais une meurtrière et que Daniel ne m'avait aucunement menti.

La réalité, c'était que je n'étais qu'une conne, que j'avais tout gâché, que j'en étais à payer le prix fort.

Je posai mon verre sur le comptoir et me rendis aux toilettes. Je remarquai ce poster de femme nue au-dessus des urinoirs : de la provocation Gildas pur jus.

Je téléphonai rue Ozenne, tombai sur une femme. Sa voix me fit froid dans le dos, il y avait comme un écho, on aurait dit qu'elle me parlait de l'intérieur d'un congélateur. Je flageolai sur mes jambes. Daniel n'était pas encore rentré. Cette femme n'était que sa sœur. Je demandai à parler à son épouse. Daniel n'était pas marié... Quoi de plus normal, puisque Daniel m'avait demandée en mariage !

Coulis avait opéré une manœuvre de repli vers le comptoir. Il essayait de ne pas perdre le contact avec la main courante. Il avait renversé mon verre et Nico le sermonnait comme un petit enfant. Coulis, ruisselant de larmes, réclamait à cors et à cris une serviette assez grande pour éponger *tout son chagrin*, et puis que Nico lui resserve un Get 27 par la même occasion. Plus par principe que par méchanceté, Nico faisait non non de la tête.

J'annonçai que j'offrais ma tournée. Nico haussa les épaules, Coulis se tourna vers moi.

– Enfin quelqu'un qui compatit, fit-il avec une voix haut perchée.

– Si tu me dis que ton mec t'a largué, autant que je te réponde tout de suite que je ne trouve pas ça très original...

– Pas ça, renifla-t-il, pas ça...

– Alors c'est quoi ton problème ?

– Mon problème ?

Coulis se remit à chialer, il se rapprocha sensiblement de moi et je le repoussai. Il revint à la charge, je gueulai un bon coup.

– ALORS, TON PROBLÈME ?

Nico sursauta, Coulis se figea, je laissai courir mon regard jusqu'à la reproduction d'Antonio Saura près de la caisse enregistreuse, dans les miroirs j'observai nos visages en surmultipliés, ils nous ressemblaient encore mais contenaient déjà un peu de la laideur de cet autoportrait, et si la laideur est une autre forme de beauté, ce n'était pas de cette laideur-là dont il s'agissait. Coulis finit par lâcher :

– Ma mère est morte, elle me laisse seul au monde...

– C'était une chic femme, ta mère ?
– Comme une mère ! Quelle question !

Ouais, comme une mère... Je réglai les consommations. Je n'avais pas encore libellé le chèque, je le retirai de mon portefeuille.

– Tu sais écrire ?
– Ben ouais !
– Alors tu mets ton nom là, et tu ne poses pas de question.
– Et... je te fais quoi en échange ?
– Rien.

Tu essaies d'imaginer que je souffre tout autant que toi.

– Julia, vous êtes toujours là ?...
– Oui...
– Alors, ce mariage ?
– Un conseil : changez à nouveau de psychiatre...

26

Simon

Lui ou moi. Je l'ai compris cette nuit-là. Lorsque dans mon rêve Daniel s'est penché sur mon corps endormi. Lorsqu'il m'a inoculé son venin, tourné et retourné entre ses pattes velues pour, à son aise, entreprendre son œuvre de destruction. Daniel me mastiquait avec application, méthodiquement, et sa bouche n'eût pas fait d'autre bruit s'il m'avait absorbé le cerveau avec une paille.

Je me suis réveillé en sursaut. J'ai allumé la lampe. Une araignée courait sur le mur. Araignée du soir...

Elle était minuscule, brun foncé. Elle allait son chemin sans se soucier des motifs de la tapisserie, de grandes fleurs délavées au creux desquelles elle aurait pu se réfugier. Nulle toile à proximité, cette araignée était sans toile comme j'étais sans indulgence.

J'ai attrapé un vieux journal sur la table de chevet. Je ne préfère pas imaginer la tête que j'avais à ce moment-là, une tête de dément, sûrement, d'une démence que rien apparemment ne justifiait. Je me suis redressé dans mon lit et j'ai frappé, frappé, plus longtemps et avec plus de force que nécessaire, si bien que j'ai failli me démettre le poignet. J'ai lâché mon arme qui a glissé contre le mur. Me massant l'avant-bras, grimaçant, je suis sorti du lit.

J'ai écarté le journal avec le bout de mon pied nu. Je ne l'avais pas ratée. L'araignée se confondait maintenant avec un mot dont elle couvrait si bien certains caractères que je dus m'agenouiller pour les reconnaître. J'épelai à voix basse : e.s.p.é.r.e.r. Tout naturellement, j'y associai aussitôt la tache de sang étoilée sur la tapisserie. J'ignorais qu'une bestiole aussi répugnante, aussi insignifiante, pût en contenir autant. Ma vie, je pensais, ne sera faite que de circonstances hasardeuses. Je ne vois pas comment il pourrait en être autrement de toute vie.

J'ai acheté des gants en cuir et ne m'en suis plus dès lors démuni. Je ne les enlevais même pas pour fumer, manger ou pisser.

J'ai travaillé une partie de la journée à effacer avec un chiffon sec toutes les empreintes que j'avais pu laisser dans le studio. Je me suis occupé ensuite de la voiture, que j'avais gardée à la demande de Daniel afin, le cas échéant, de me mettre à sa disposition dans les meilleurs délais. J'ai briqué le tableau de bord, le volant, les rétroviseurs, les sièges. J'en ai fait autant pour la bouche du réservoir, les portières, le capot. J'ai essayé de me souvenir des endroits où, rue Ozenne, j'avais laissé traîner mes doigts. Dans la salle de bains, la porte, la baignoire et peut-être le lavabo. Dans le bureau de Daniel, l'écran de son ordinateur. Ces empreintes étaient à mon sens sans danger.

Daniel n'avait pas tenu ses promesses, il ne m'avait pas augmenté ni déclaré. L'idée avait fait son chemin. Je n'avais en effet aucune existence légale. Je n'existais pas. Pour Daniel, je n'étais qu'un caprice. Pour Elvire, je n'étais peut-être qu'un songe.

Inexistants étaient ceux à qui j'avais été présenté par l'un ou l'autre. Rares étaient ceux qui m'avaient vu en leur compagnie, et dans ce cas ils se souvenaient d'un chauve, non d'un gars à la chevelure brune déjà abondante. Chauve, je l'étais encore la nuit du cours, lorsque ce flic m'avait considéré longuement avec un sourire qui, pour peu que j'y réfléchisse maintenant, comportait une forte dose de mépris.

Oui, il y avait bien ce flic, mais cela remontait à combien de jours, de semaines, de mois ? J'avais perdu toute notion de temps, je n'aurais su lier un événement que j'avais vécu à un jour précis, ce jour à un mois, ce mois à une saison. Faits et gestes permutaient sans cesse dans mon esprit, s'enchevêtraient, s'agrégeaient de façon complètement illogique, comme soumis à une compression, pour produire une sensation pernicieuse. Il n'y avait plus de durée mais le retentissement d'un indescriptible chaos que je souffrais d'appréhender.

Cela dit, j'avais toutes les chances que les circonstances jouent pleinement en ma faveur. Je pensais à toutes ces précautions que je prenais. Elles n'avaient lieu d'être que dans la mesure où les choses tourneraient mal mais je les expliquais par une certaine méfiance que je nourrissais désormais à l'égard d'Elvire.

De longs moments, je restais allongé sur mon lit. Je fumais beaucoup. Je me servais d'un paquet de cigarettes vide en guise de cendrier. Je l'emporterais avec moi le moment venu. Je voulais qu'il ne subsiste nulle trace de mon existence dans cette chambre.

Pour la première fois depuis une éternité, je ne me laissais pas porter par les événements, je projetais un acte qui ne soit pas lié à mes besoins les plus élémentaires, de faire enfin quelque chose de ma vie.

Je prêtais l'oreille au moindre bruit dans le couloir, j'envisageais d'aller à Daniel mais je n'excluais pas l'éventualité que Daniel vienne à moi.

Dans le noir, souvent, inexorablement, je passais en revue mes interrogations, toujours dans le même ordre, comme si je tenais à affirmer un lien logique entre chacune d'elles.

Est-ce que j'aimais Elvire ? Oui. Est-ce que je l'aimais profondément ? Non... Est-ce qu'Elvire m'aimait ? Oui. Est-ce que je voulais de ce gosse ? Non... Est-ce qu'Elvire se servait de moi ?... M'associait-elle vraiment à son avenir ?...

Daniel me semblait salement malade. Je ne l'avais pas encouragé à voir un toubib, pas plus que je n'avais cherché à savoir pourquoi il ne se prenait pas lui-même en main. Ne pourrais-je donc être patient et le laisser mourir, simplement ? Non. Pourquoi ? Daniel était une crevure, et si par ma volonté il ne payait pas pour tout le mal qu'il m'avait fait, je ne pourrais plus jamais me regarder en face. Somme toute, Elvire, que je l'aime ou pas, qu'elle soit enceinte ou non, motivait dans une moindre mesure ma décision. Mon honneur et ma dignité, je ne voyais pas d'autres mobiles à l'acte que j'allais commettre.

Jusqu'à ce qu'Elvire me téléphone : Daniel savait pour l'enfant. Que j'en étais le père.

Lui ou moi. Ça ne faisait plus l'ombre d'un doute.

Dans l'état où était Daniel, j'évaluais mes chances à cent pour cent.

Elvire me dit que son frère l'avait battue. Sur le moment, je ne l'ai pas crue.

27

Elvire

J'avais conscience d'avoir joué très gros, mais je n'avais pu m'empêcher de dire à Daniel que l'enfant que j'attendais était de lui. Mon triomphe en eût été diminué à moins. Et puis il fallait qu'il le sache, car ce n'était que la vérité, rien que la vérité... Un venin que je lui aurais craché à la figure.

J'avais eu le courage dont j'avais manqué pendant des années. Je me sentais soulagée d'un poids énorme, fiévreuse, hébétée, transportée par une joie que tempérait à peine la possibilité de voir ainsi s'envoler tous mes rêves. Oui, mon courage ne souffrait nulle comparaison, et maintenant je devais prier, prier pour que les deux hommes n'en viennent pas à me percer à jour, et puis compter avec le mépris de Daniel pour Simon, la peur de Simon pour Daniel. Que Daniel se confie à Simon, ou bien que ce dernier tente de s'expliquer, un mot, un mot un seul et je pouvais craindre que la situation m'échappe.

Daniel était malade, son état s'était dégradé subitement, mais rien de très grave peut-être, une mauvaise grippe ou quelque chose de ce genre, il me fallait profiter de sa faiblesse, agir avant son rétablissement, aussi. N'y avait-il pas là comme un signe ? De toute façon, que l'on meure malade ou en bonne santé, on meurt quand même !

Je grimpai les marches avec une hâte que j'aurais voulu motivée par un sentiment de pleine certitude. J'arrivai sous les combles essoufflée. J'entrai sans frapper.

La pièce était plongée dans l'obscurité, silencieuse. Dans mon impatience, je refermai la porte avant que cela ne me surprenne vraiment. Soudain, je pris conscience de mon imprudence, je perçus un bruissement derrière moi et deux mains se serrèrent autour de ma gorge, s'y collèrent comme à une bouée. Il ne m'était déjà plus possible de crier, l'air ne passait plus, mes jambes se dérobaient sous moi.

Si je mesurai la détermination de mon amant, si je m'en réjouis un court instant, je compris également que ma vie était en danger. *Mon Dieu, si près du but, après tant d'efforts...* Je ne parvenais pas à admettre que tout cela pût finir si bêtement. Je me débattis, je voulus crier encore mais aucun son ne put sortir de ma bouche. Au désespoir, je balançai mes bras en arrière. Simon se tenait à distance comme pour éviter le contact d'une matière que l'on répugne, il portait des gants, fermait sans doute les yeux et, à cause de cela, ne réalisait pas sa méprise. J'allais perdre connaissance quand ma main heurta le jambage de la porte, j'y fis courir mes doigts, je tâtonnai le mur et actionnai l'interrupteur.

Simon me relâcha aussitôt et je chancelai jusqu'au lit en me massant le cou. Je repris ma respiration sans que, dans le même temps, il ne prononce un mot. J'aurais apprécié qu'il manifeste un peu de gentillesse, d'affolement, faute de quoi je crus deviner que s'il m'avait tuée, c'eût été comme une solution à tous ses problèmes.

Simon était trop calme. On ne lisait même pas l'effort sur son visage. À la surface de son regard, affleurait un sentiment mitigé de dépit et d'anxiété. À cela, je ne voyais qu'une raison : Simon ne m'aimait pas. Son existence lui importait bien plus que la mienne mais, n'empêche, elle n'avait de sens que parce qu'elle m'était utile. Simon était un homme dont on se servait, il n'avait aucune autre raison d'être. Je m'assis au bord du lit et parvins enfin à articuler :

– C'était... moins une !

– Qu'est-ce que tu fais là ?

Aucune réaction non plus à la vue de mon œil poché, des bleus sur mes bras. J'aurais souffert en vain...

– Tu as besoin que je me déshabille entièrement ?

– Tu veux me prouver quoi ?

– Mais que Daniel...

– ... a trouvé la force de te mettre dans cet état !

– Ne t'ai-je pas manqué ?

– Où est ton frère ?

– Dans son lit, il a eu un malaise après m'avoir battue.

– Qu'est-ce qu'il a dit ensuite ?

– Que je n'étais qu'une garce, et toi un enfant de salaud, qu'il t'avait sorti de la fange et que tu n'avais pas trouvé mieux que de me salir pour le remercier, et qu'il te réservait un traitement de faveur, je voulais te prévenir, Simon, pense à notre enfant...

Simon parut réfléchir. Il détourna le regard et je sus qu'il s'apprêtait à me mentir.

– Ne m'as-tu pas dit que ton frangin voulait me mettre à la porte ?

– Je pensais qu'il le ferait, je t'assure, c'était peut-être son intention avant qu'il n'ait ces ennuis de santé.

– Et si je te disais que j'en viens à apprécier ton frère ?

– Je ne te croirais pas.

– Il a eu certaines largesses à mon égard ces derniers temps.

– Daniel a des réactions imprévisibles.

– Quoi qu'il en soit, j'ai de l'argent maintenant et j'aimerais que tu avortes...

– Simon, ne me demande pas cela, je veux cet enfant, tu es la personne que j'aime le plus au monde.

Simon se tenait toujours loin de moi. J'aurais pourtant cru qu'après cette longue absence, il eût envie de me prendre dans ses bras, de m'embrasser.

Simon était sans doute bien plus effrayé qu'il ne le laissait paraître. Désirait-il peut-être encore m'inciter à l'avortement pour, finalement, se convaincre qu'il n'y avait aucune autre issue que celle vers laquelle nous nous dirigions, vers laquelle je le dirigeais. Simon était comme une bête aux abois, et comme une bête aux abois je le sentais prêt, par panique, à s'enfoncer dans une forêt en flammes plutôt que d'affronter une meute de chiens et une mort sans doute plus indigne.

– Connais-tu ton frère ?

– Daniel est bon pour la camisole.

– Je sais.

Le ton de sa voix me laissa interdite. Il me donna à penser qu'il en savait beaucoup plus sur Daniel que je ne l'imaginais. Mon cœur se mit à battre la chamade.

Je me rendis dans la salle de bains et me servis un verre d'eau au robinet. J'observai soudain que la pièce était d'une propreté inhabituelle, comme si Simon n'y avait jamais mis les pieds. Je ne trouvai nulle trace de sa brosse à dents ou de son rasoir. De retour dans la chambre, je remarquai son sac à dos près de l'armoire et cette même ambiance impersonnelle.

– Tu... pars ?

– Non, j'essaie d'envisager toutes les possibilités.

– Je vois, tu ne me fais pas confiance...

– La question ne se pose peut-être pas en ces termes. Je me dis que tu pourrais très vite te lasser de moi, je n'aimerais pas devenir la victime de tes humeurs après avoir été l'objet de tes désirs.

– Sache que je ne t'en veux pas.

– Après tout, c'est toi qui y gagnes le plus, non ? Ta liberté, l'héritage...

– Et toi ?

– Tu ne me comprendrais sans doute pas.

Simon m'eût répondu qu'il agissait par amour et j'aurais pensé ne pas m'être trompée sur son compte. À défaut, je devais admettre que je l'avais sous-estimé. Qu'importe, je tenais toujours les bonnes cartes, et je ne le voyais plus agir autrement que de la façon que j'avais secrètement désirée. Étrange tout de même cette impression d'avoir désormais en face de moi plus un adversaire qu'un allié.

– Comment tu comptes t'y prendre ?

– Détestes-tu ton frère à ce point ?

Simon ne me répondrait pas, je ne lui répondrais pas non plus, nous le savions tous deux.

Soulagée, je lui souris comme je me rappelais lui avoir souri la première fois. Dans mon souvenir, j'avais été sincère ce jour-là, je l'avais été dans certaines de nos étreintes, à quelques autres moments aussi, j'aurais aimé avoir les mots pour le lui dire.

Mais je baissai les yeux. Simon se tourna vers la fenêtre.

Un livre traînait sur le lit. Sur la couverture, des guerriers nus brandissaient des lances. Au premier plan, un autre homme supportait à l'épaule le poids d'un fauve mort attaché à une barre de bois.

– Tu l'as lu ?

– Oui...

Simon soupira puis, le regard toujours perdu quelque part au-dehors, il commença, d'une voix lente, sans heurt :

– Le vieux sage à barbe blanche raconte qu'un léopard voulait à tout prix attraper une tortue. Pourquoi cette tortue et pas une autre ? Comment cette tortue parvenait à lui échapper ? L'histoire ne le dit pas... Toujours est-il qu'un jour le léopard la rencontre par hasard, sur une route déserte, et que, alléché mais magnanime, il lui dit de se préparer à mourir...

Le téléphone se mit à sonner. Simon se détacha de la fenêtre et décrocha le combiné. Ses yeux se portèrent aussitôt sur moi et je sentis mon cœur faire un bond dans ma poitrine. Sa voix ne perdit rien de son assurance, on aurait dit qu'il maîtrisait parfaitement la situation, je savais que celle-ci pouvait déraper à tout moment, à mon désavantage, il suffisait d'un mot de l'un ou de l'autre...

Simon reposa calmement le combiné dans son berceau.

– Où j'en étais ?

– Le léopard dit à la tortue de se préparer à mourir...

– Ah oui ! La tortue lui demande donc une faveur, et le léopard accepte. La tortue lui dit alors ceci : « Donne-moi un moment pour me préparer l'esprit. » Le léopard sait qu'elle ne peut pas lui filer entre les pattes et fait montre de patience. Mais au lieu de rester immobile, la tortue se met à retourner le sol avec fureur. Interloqué, le léopard lui demande pourquoi elle s'agite ainsi, et la tortue lui répond : « Parce que je voudrais qu'après ma mort tous ceux qui passeront puissent dire : Oui, deux individus de force égale se sont battus ici... »

– C'était Daniel ?

– Qui ? La tortue ? !

Ses lèvres amorcèrent un sourire.

– Non, au téléphone...

– J'avais compris, oui, c'était Daniel, qui voudrais-tu que ce soit ?... Pardonne-moi pour tout à l'heure.

– J'aurais dû frapper avant d'entrer.

– Comment tu me trouves avec des cheveux ?

– J'aurais pu ne pas te reconnaître.

Un silence tenace s'installa entre nous. Depuis longtemps, nous n'étions plus ensemble comme il l'avait peut-être désiré un jour. Je n'avais plus rien à lui dire. Je n'avais plus qu'à attendre. Le bonheur. Ou quelque chose qui devait lui ressembler.

28

Julia

J'ai d'abord cru que Daniel était mort, que l'on avait procédé à une autopsie et que les flics étaient remontés naturellement jusqu'à moi, Daniel ayant laissé derrière lui quelques traces de mon existence. Puis j'ai pensé que si tel avait été le cas, les flics seraient venus me cueillir à domicile, et que le commissaire Claude Mousplède n'aurait certes pas pris la peine d'user de son téléphone pour m'inviter à me présenter dans la matinée au commissariat, *si tant est que j'en aie le loisir*.

J'ai procédé à une rapide toilette et pris la direction de la rue du Rempart-Saint-Etienne, avant de me rappeler que le commissariat central avait changé d'adresse. J'ai donc mis le cap sur le boulevard de l'Embouchure, via la place Dupuy, la Halle aux Grains et le Canal du Midi.

Quel que fût l'objet de cette amicale convocation, je me suis dit un moment que ce serait peut-être pour moi l'occasion de passer aux aveux. Cependant, cette réflexion découlait plus de ce malheureux constat, celui d'avoir tout gâché, de m'être laissée emporter par ma nature atrabilaire, que d'un sentiment de réelle culpabilité, si bien que parvenue aux abords du commissariat, je l'avais balayée de mon esprit.

Les archis n'avaient pas donné dans la dentelle. Le nouvel Hôtel de Police correspondait au délire ambiant, mégalomane et sécuritaire. Une sorte de château-fort sans pont-levis mais pourvu de rotondes, le tout en brique rouge. Je n'aurais pas été surprise si dans le ciel bleu j'avais vu se profiler des miradors.

Je me garai sur le parking réservé aux visiteurs. Je me présentai à l'accueil et un agent me guida dans les couloirs peints de frais. On ne percevait pas les vibrations de ceux qui y avaient déjà traîné leurs angoisses, il n'y avait pas non plus de sang sur les murs, ces couloirs étaient sans âme encore.

L'agent s'effaça et j'entrai dans le bureau. Le commissaire Claude Mousplède me tournait à moitié le dos. Il était large d'épaules, de taille moyenne. Sa chevelure ainsi que sa barbe étaient grisonnantes. Je devinai aussitôt une aimable bonhomie dans le personnage, impression qui se confirma lorsque, semblant se détourner à regret d'une pensée très intime, il me fit signe de m'asseoir. Lui-même s'installa à son bureau et se carra confortablement dans son siège.

L'homme approchait de la retraite et tout dans son attitude montrait clairement qu'il n'en faisait pas un drame. Son œil pétillait, ses lèvres se plissaient en une moue engageante. Il me sonda un court instant et je fus tout près de fondre sous l'intensité de son regard.

– Mademoiselle Rosso, vous n'ignorez sans doute pas la raison de cette entrevue, n'est-ce pas ?

– Je crois deviner...

– C'est au sujet de votre ami, Jacky Baylac, en effet.

– Jacky n'est pas responsable de la mort de son ami.

Le commissaire exhala un soupir.

– Je le crois également, je voulais simplement me l'entendre dire par une personne qui lui est proche !

Je ne savais pas comment interpréter ces paroles. Au risque de me compromettre, je poursuivis sur ma lancée :

– Jacky vouait à Georges un amour profond et désintéressé, mais peut-être n'avez-vous pas l'ouverture d'esprit nécessaire pour le comprendre !

– Comme vous y allez ! Mes hommes...

– Vos hommes l'ont humilié !

– Ils manquent certes de psychologie...

Le commissaire avait émis cette affirmation d'une voix qui niait toute contradiction. Il paraissait néanmoins sincèrement embarrassé. Nous laissâmes s'écouler quelques secondes.

– Nous piétinons...

– Ce n'est pas une raison.

– Notre homme est malin, voilà plusieurs semaines qu'il n'a pas frappé et on exige de moi des résultats, alors que l'enquête est au point mort.

– Persécuter Jacky n'y changera rien...

– Tse !

Il fit voleter sa main devant lui, le message était clair : la question n'était pas là, que je me le tienne pour dit. Je finis par lui demander :

– Qu'est-ce qui le motive à agir de la sorte ?

– Je ne sais pas. Un traumatisme sans doute. Tout ce que nous savons, c'est qu'il ne tue pas régulièrement et qu'il n'attend jamais la pleine lune pour se manifester...

S'il se voulait ironique, il n'y parut pas. Il s'attacha un moment à compulser un dossier posé sur le bureau. Je me demandai pourquoi diable il m'avait fait venir, pour si peu.

Si le commissaire cherchait une oreille attentive pour s'épancher, je ne me sentais pas en mesure de jouer ce rôle. À bien y réfléchir, il ne me faisait pas l'effet d'un flic mais d'un citoyen ordinaire, tiraillé de doutes et pour qui la vie demeurera toujours un mystère. Le sourire à ses lèvres procédait peut-être d'une volonté de compenser de profondes inquiétudes. Il appelait la confidence et je me sentis à deux doigts de lui avouer mon crime. Je me mordis violemment la lèvre inférieure mais sans qu'il le remarque.

– L'arme qu'il utilise est toujours la même. Ses victimes...

– Des hommes, fis-je pour l'encourager, à défaut de compatir.

– Oui, des hommes...

– Des homosexuels, sur le cours Dillon.

Le commissaire secoua la tête de gauche à droite. Je lus dans ses yeux qu'il était au regret de me décevoir.

– La série de meurtres sur le cours est à rattacher à deux autres assassinats commis ces derniers mois. Le premier a eu lieu place de la Trinité, la victime était connue dans le milieu de la cloche sous le sobriquet d'Octopussy, et par nos services sous le nom de Hugues Méliorat, un ancien flic, inspecteur de police.

Il poussa un second soupir, plus profond.

– Personne ne sait ce que la vie lui réserve.

Je ne pouvais être qu'en accord avec lui.

– Enfin... La seconde victime, elle, était connue sous le sobriquet de Treuil, une sorte de punk, appréhendé à plusieurs reprises sur la voie publique pour racket et *conduite* en état d'ivresse...

– Racket ?

– Le monde de la rue est sans merci, et on n'a pas fini d'en voir, des vertes et des pas mûres ! Cela dit, on a retrouvé Treuil avec un grand sourire de vampire sous le menton, rue du Fourbastard, peu de temps avant l'ami de Jacky Baylac. Les rapports d'autopsie sont formels. L'assassin est le même. Nous sommes en présence du même *modus operandi*. Notre égorgeur joue au monsieur propre, à ce qu'on dirait. Tout ce qui semble taquiner sa morale n'a pas lieu d'être.

Le commissaire Claude Mousplède tira de son dossier un portrait-robot. Il le considéra un instant avant de me le tendre.

– Treuil n'agissait pas seul, il traînait derrière lui une bande de gars dont le dénominateur commun, en plus des lames de rasoir et des trombones dans les oreilles, est la bière chaude. Nous les avons interrogés, et cela ne fut pas une mince affaire, croyez-moi... Ces gens-là sont allergiques à tout ce qui peut représenter l'autorité. C'est moi qui me les suis coltinés...

Je ne doutais pas une seconde qu'il fût le mieux armé pour s'acquitter honorablement de ce genre de mission.

– La dernière fois qu'ils l'ont vu, Treuil projetait d'exercer son racket sur un homme sans histoires qui faisait généralement la manche à l'angle des rues d'Alsace-Lorraine et de la Pomme – la rue du Fourbastard, qui n'a d'ailleurs de rue que le nom, est à deux pas. Treuil est parti seul et n'a pas reparu.

– C'est Treuil ?

– Non, le portrait que vous avez sous les yeux est celui de l'homme sans histoires. Il n'est pas connu de nos services, il ne devait pas être depuis longtemps à la rue, ou alors il était, il est extrêmement prudent et discret...

– Comme votre assassin.

– Ouais... Toujours est-il que Treuil est mort et que lui a disparu de la circulation. Les punks l'appelaient Montfort, à cause de son prénom. Simon.

Je regardai le portrait. Montfort était chauve, sur ce point la bande à Treuil n'avait pu se tromper. Aucun signe distinctif, genre cicatrice, grain de beauté ou tache de naissance. Son regard avait quelque chose de mélancolique, quoiqu'on pût y lire aussi comme une sourde détermination. Ses yeux étaient bleus, ses lèvres épaisses et molles, son nez aquilin, ses oreilles très peu décollées. Je ne connaissais pas cet homme.

– Suis-je censée le connaître ?

– Non, mademoiselle Rosso, mais puisque je vous avais sous la main...

Le commissaire m'offrit son sourire le plus désarmant.

– Et pour mon ami, Jacky ?

– Dites-lui de soigner sa paranoïa.

– Jacky est un impulsif.

– Pour le moins, il a mordu l'inspecteur qui était venu l'interroger.

– Je l'ignorais.

– Je peux comprendre ce qu'est la douleur.

Je me levai et me dirigeai vers la porte. Le commissaire m'interrompit dans mon élan.

– Ah !

– Oui ?

– J'aimerais m'être bien fait comprendre, dites-lui de cesser de nous enquiquiner avec ses coups de fil intempestifs, dites-lui que ça prendra peut-être du temps mais que nous finirons par mettre la main sur le salaud qui a fait ça.

Quand je suis sortie du commissariat, le ciel était

couvert. J'ai regagné ma voiture alors que quelques gouttes de pluie commençaient à s'écraser sur le bitume.

Je me sentais particulièrement sereine, j'étais comme déculpabilisée, j'avais la curieuse impression d'avoir avoué mon crime ou de n'avoir jamais engagé le processus qui devait mener à la mort de Daniel. J'étais un peu comme le gars qui va chez le dentiste en se disant qu'on va lui arracher la moitié de la mâchoire et qui, finalement, se réjouit qu'on ne lui ait soigné qu'une carie insignifiante. Dans le même temps, sans trop savoir pourquoi, j'ai pensé que je ne reverrais plus jamais Daniel. Sans que cela me mette au désespoir, je me suis alors réconfortée aux souvenirs de quelques bons moments que nous avions passés ensemble.

De retour à la maison, j'ai essayé de joindre Jacky. J'étais disposée à lui transmettre le message du commissaire et peut-être même à l'inviter à boire un verre. Mais son poste égrenait sa sonnerie monotone sans que jamais personne ne réponde. J'ai fini par renoncer.

J'ai allumé le téléviseur, on y retransmettait un match de boxe et j'ai trouvé cela au poil, j'ai fumé une cigarette, je me suis recroquevillée dans mon fauteuil.

Plus tard dans la soirée, j'ai commencé mon journal intime. J'ai déniché un vieux cahier d'écolier dans un tiroir, je me suis mise à écrire :

« Je l'ai aimé comme une sœur, j'aurais même pu être sa mère, à la seule différence qu'il s'est délassé souvent entre mes jambes sans que j'en ressente une quelconque amertume, et cela en dépit du désespoir qui le tenait au ventre. Le mien était tellement ouvert certains soirs que je nourrissais l'espoir, dans l'orgasme, de l'y engloutir entièrement, corps et âme, dans un spasme d'une fulgurante rage. Quelquefois encore je l'imagine se débattre au-delà de ce qu'il appelait ma fente, sans vulgarité aucune, avec un soupçon d'inquiétude, comme si tout pour lui devait se jouer là... Je me suis composée en lui, il s'est dispersé en moi. »

Non, ça ne rime à rien. Ce n'est pas en couchant sur le papier ces inepties qu'il me reviendra.

29

Simon

Daniel avait dit à vingt-trois heures et il n'y avait pas de raison pour que je sois en retard. Elvire était partie, je ne l'avais pas embrassée, je lui avais demandé d'attendre un peu avant de rentrer rue Ozenne, une exigence plus qu'un souhait.

Je n'avais pas encore réfléchi à la manière, mais je savais que la première occasion serait la bonne, qu'il n'y en aurait sans doute qu'une et que j'avais intérêt à ne pas la rater. Le vent d'autan s'était levé en début de soirée et j'ignorais s'il agaçait mes nerfs plus que ma conscience, ou le contraire.

Daniel m'attendait déjà sur le trottoir, adossé à un réverbère. Son attitude ne trahissait aucun malaise particulier. Je freinai et me garai en double file. Comme il ne bougeait toujours pas, j'ouvris la portière et posai un pied à terre. Je compris aussitôt l'inutilité de mon geste, car Daniel abandonna alors sa position et se mit à marcher. Je pensai qu'il désirait me prouver sinon sa bonne forme du moins son courage. Je le suivis du regard. Sans trébucher ou se tenir à la carrosserie, il fit le tour de la voiture.

Dérogeant à l'habitude, Daniel prit de lui-même la place du mort, je n'en attendais pas tant. Sitôt assis, il fut parcouru d'un frisson et enfonça les mains dans ses poches. J'imaginai ses doigts en train d'y triturer son couteau à cran d'arrêt, à moins que ce ne fût, pour la circonstance, un revolver. S'il projetait de me faire la peau à l'arme blanche, j'avais toutes mes chances, je n'avais d'ailleurs pas envisagé d'autres cas de figure. À l'arme à feu, en revanche...

– Roule, j'ai à te parler...

Le sourire à ses lèvres me fit un drôle d'effet, il ne contenait aucune menace.

Maintenant que j'avais Daniel à côté de moi, je pouvais constater que son état ne s'était guère amélioré. Son visage dans la pénombre scintillait d'une sueur froide, sa bouche expulsait l'air par saccades, il semblait en expirer bien plus qu'il n'en inspirait. À cause de je ne sais quel sentiment de compassion, je me demandai si la situation n'exigeait pas que je joue cartes sur table avec lui ou que, pour le moins, j'ouvre moi-même les hostilités. Vivait-il peut-être dans cette attente ? De toutes les façons, je doutais qu'il me pardonne. Sans en faire retomber toute la faute sur Elvire, je pouvais me fendre d'un semblant d'excuse, lui dire que j'étais sincèrement désolé, ce qui dans le fond était vrai. Daniel ne m'en laissa pas le loisir.

– J'ai apporté un codicille à mon testament aujourd'hui... Tu y figures désormais en bonne place...

Plus retors que Daniel, je ne connaissais pas. J'étais payé pour le savoir, mal. N'empêche, il ne s'y serait pas mieux pris pour me faucher en plein vol. Abasourdi, je ne sus quoi lui répondre sur l'instant. Daniel me prenait à nouveau à contre-pied. Cela signifiait surtout que mon projet de meurtre tombait à l'eau, ou alors que, du coup, les risques se trouvaient décuplés. Ou bien Daniel était particulièrement pervers, ou bien il se foutait de moi. L'un n'allait certainement pas sans l'autre.

Et pour mon anonymat, je pouvais repasser. Que je le tue et certains de mes actes se retourneraient contre moi. Figurant en bonne place sur son testament, ne s'étonnerait-on pas après sa mort que j'aie fait disparaître toute trace de mon existence ?

Je sentis soudain monter en moi la colère. Je contins un grognement et, sans détacher les yeux de la route, me figurai le sourire qui perdurait sur les lèvres de Daniel, un sourire qui en disait long sûrement sur le peu d'estime qu'il me vouait. Je n'étais plus que l'objet de son cynisme. Seulement, loin d'en rajouter, Daniel commença à me parler en confidence.

Et si Elvire, tout bien considéré, n'avait pas lâché le morceau... Et si elle n'avait jamais cessé de me mener par le bout du nez, à dessein...

Aux arbres, sur les avenues, le vent arrachait des feuilles par centaines. Elles tourbillonnaient dans la lumière pâle des phares et venaient parfois fouetter le pare-brise.

– Elvire était déjà à la maison quand je suis venu au monde. Si j'en crois ma mère, elle vivait alors heureuse avec son mari. Ils formaient un duo que d'aucuns qualifiaient de remarquable, irréprochable à tous égards. Tout le monde, et notre demeure ne désemplissait pas à l'époque, leur enviait leur bonheur. Jamais un mot plus haut que l'autre, jamais de différends, l'harmonie parfaite... Ma mère n'avait pas besoin de travailler, d'ailleurs il ne l'aurait pas accepté, elle s'occupait de leur fille et s'en portait très bien. À cause de son boulot, lui était amené à se rendre aux quatre coins du monde, il s'absentait pour des périodes parfois assez longues, il disait lui être toujours fidèle...

J'essayai en vain de déceler une menace sous ses paroles, tout comme une rancœur qui fût de près ou de loin dirigée contre moi. Daniel me parlait comme à un ami, comme on se soulage, et je sentis mes mâchoires se détendre, et tous mes muscles à la suite.

– Tout a basculé quand je suis né, Simon. Je n'ai pas eu la chance d'Elvire, j'ai grandi dans l'angoisse, la crainte qu'il tue ma mère. Cela a bien failli arriver. Un soir, j'avais sept ans, je fus réveillé par des cris. Je les ai surpris dans la salle de bains, lui un couteau à la main, elle couchée dans la baignoire où il l'avait précipitée toute habillée. J'ai couru dans ses jambes et il m'a repoussé en me crachant à la figure que je n'étais qu'un bâtard...

– Un bâtard ?

– Ma mère avait eu une relation au cours d'une de ses absences, je ne comprends toujours pas pourquoi elle ne s'est pas fait avorter, mais peut-être que ça s'explique tout compte fait. Toujours est-il que la raison de son mari, à partir de ce moment-là, a chaviré. Il est devenu extrêmement violent, il s'est mis à picoler, puis à fréquenter de drôles d'endroits. Une nuit, il a ramené un garçon à la maison... L'attitude de ma mère avait dû le dégoûter à jamais des femmes, ou alors il agissait par pure provocation. Quoi qu'il en soit, au bout d'un moment, il a commencé à y prendre plaisir...

Daniel fut soudain secoué par une quinte de toux. Il tira un mouchoir de sa poche et le colla contre sa bouche. Son corps se raidit comme si une flamme lui léchait l'estomac et remontait dans sa gorge. Je crus bien qu'il allait cracher du feu, ou la moitié d'un poumon. Après quelques secondes, il se tassa sur lui-même et se remit à happer l'air à petites goulées.

Je lui proposai de nous arrêter. D'un geste de la main, il me fit signe de continuer à rouler. J'attendis donc patiemment la suite de son histoire. J'étais de plus en plus troublé par la tournure que prenait ce que je savais être notre dernière confrontation.

– Il délaissait ma mère, créait le vide autour d'elle, choyait Elvire et multipliait ses relations contre nature... J'avais douze ans lorsqu'il a surgi dans ma chambre, il était passablement soûl, il m'a dit que tout ça était de ma faute et que je devais payer pour le salaud qui avait engrossé sa femme, il a exigé que j'enlève mon pyjama, il m'a fait coucher sur le lit... Il ne m'a jamais baisé à jeun, Simon... À chaque fois, je hurlais à la mort et personne ne me venait jamais en aide.

– Et ta mère ?

– Elle pleurait peut-être sous l'oreiller, de honte. Elle s'imaginait sans doute que si elle intervenait, il se retournerait contre elle. Et puis, bien que nous fussions seuls depuis longtemps, sans plus d'amis pour venir nous visiter, elle redoutait qu'éclate le scandale. Je ne lui en ai pas voulu sur le moment. Toute ma rancune s'est focalisée sur Elvire, Elvire qu'il chouchoutait au-delà de toute expression, Elvire qui me regardait chaque matin comme si j'avais la lèpre. Elle me disait mal dormir quand je criais dans mes cauchemars... Lorsque je lui ai appris qu'il me violait, elle m'a ri au nez, elle aussi m'a dit que je n'étais qu'un bâtard, que ça me faisait les pieds, après tout elle n'avait pas demandé que je vienne au monde...

– Elle ne mesurait pas la portée de ses paroles...

– Si, car d'une certaine manière elle était jalouse... Bref, je devais me venger...

Daniel aspira une goulée d'air et ses poumons produisirent un sifflement de boyau poreux.

– L'occasion m'en fut donnée enfin quand ce monstre est tombé malade, d'un cancer, puis quand il est mort. Qu'il ait cherché ou non à se mettre in extremis en paix avec lui-même, il a commis une grosse erreur : il a fait de moi son légataire universel, ignorant que je haïssais Elvire et qu'il me donnait ainsi la possibilité d'exercer sur elle mon pouvoir.

Si Daniel m'avait effectivement couché sur son testament, cela impliquait-il qu'il ait déshérité Elvire ? Peut-être... Mais j'avais beau me creuser le crâne, ses motivations profondes m'échappaient, d'autant plus qu'il n'était pas sans savoir que l'enfant qu'elle portait était de moi... Bon Dieu ! Mais pourquoi n'y allait-il pas franchement ?

La plus grande confusion régnait dans mon esprit. Il y avait aussi ces meurtres dont il était sans nul doute possible l'auteur. Je pouvais admettre le drame dont il avait été la victime mais cela justifiait-il pareille sauvagerie ? À en juger par la pitié qu'il commençait à m'inspirer, je tendais à penser par l'affirmative.

Ma détermination en venait à fléchir. Et si, justement, il ne travaillait qu'à endormir ma vigilance... Tout en roulant, je me tournai vers lui. Son visage ne renvoyait l'écho que d'une chose, la douleur, sans qu'elle ne dissimulât d'agressivité. Décidément, je ne savais plus sur quel pied danser, si tant est que je l'aie su un jour. Je repassai en revue toutes les informations qu'il venait de me fournir. J'étais persuadé qu'il ne m'avait pas tout dit, et il me brûlait de soulever un peu plus le voile.

– Et ton père ?

– Je ne l'ai pas connu, ma mère m'en a tout juste

dit deux mots, pour m'apprendre que leur relation avait été très brève.

– Mais alors ?

– Oui, tu te demandes pourquoi, plutôt que de vivre dans le mensonge toute sa vie, elle en a parlé à son mari ? Eh bien, c'est très simple, elle n'a pas eu besoin de lui dire que l'enfant n'était pas de lui...

Je fronçai les sourcils, m'efforçant de saisir le sens de sa phrase. Depuis un moment, je roulais au radar, suspendu à ses lèvres. Je songeai à Elvire, persuadé que tout le problème était là, pour lui comme pour moi. Mais Daniel avait évoqué l'éventualité d'un mensonge, et comme il m'en avait servi plus souvent qu'à son tour, une méfiance subsistait en moi. Et s'il me mentait encore ? Non, et pourtant je ne parvenais pas à étouffer la haine que je nourrissais à son endroit, pour d'autres raisons, que nous n'évoquerions pas ce soir. Je ne balaierais pas toute envie de meurtre, non, mille fois non.

Je serrai le volant. Je lui jetai un autre regard, dans lequel il dut lire de l'incrédulité, alors que ce n'était que du scepticisme.

– Même si son mari l'aimait à la folie, et quand bien même l'eût-il souhaité, il n'aurait pas pu la satisfaire pleinement. Quand ma mère est tombée enceinte, ça ne pouvait pas être de lui, tu saisis ?

– Mais, Elvire...

– Elvire était le vrai fruit de leur amour, Elvire est une enfant adoptée.

– Elvire...

– ... n'est pas ma sœur, ce qu'elle ignore.

Daniel avait bien gardé le secret, cela donnait tout son sens à sa vengeance, et sûrement toute sa saveur. Le vieux Lestrade avait commis le mal sans mesurer les conséquences de ses actes, il croyait qu'on pouvait tout lui pardonner parce qu'il en était à rendre l'âme, il n'avait pas imaginé que le fruit de son amour souffrirait toute sa vie de son stupide désir de rédemption. Le vieux Lestrade n'était qu'un pauvre type. Daniel n'avait pas seulement hérité de sa fortune, mais aussi du meilleur moyen de soulager son ressentiment à travers Elvire, pour le punir, lui, jusque dans la mort.

– Tu ne lui as jamais dit.

– Ce soir, j'aurais aimé lui apprendre la vérité, mais elle est devenue comme folle...

Tout se tenait. Et moi dans tout ça ? Pourquoi tardait-il encore à en venir au fait ?... Après tout, j'avais mis enceinte une femme qui n'était pas sa sœur, il n'en avait rien à foutre. Mais n'en avait-il rien à foutre au point de me coucher sur son testament ?

– J'vais crever, Simon. J'aimerais partir en beauté, conduis-moi au cours...

En somme, Daniel voulait que je sois son complice, une dernière fois, que j'avalise, à la lumière de toutes ses confidences, sa propre démence. Oui, et quelle que soit la nature de ce qu'il me léguait, il désirait me payer en retour, d'une certaine façon me remercier.

Il n'y avait pas de flics à l'entrée du cours, peu de voitures qui circulaient dans un sens ou dans l'autre. J'ai négocié les ralentisseurs en douceur. Au milieu de l'allée, j'ai garé la voiture dans un refuge, j'ai éteint les phares. Daniel a ouvert la portière tandis qu'un jeune gars se dirigeait vers nous, le sourire aux lèvres. Il avait aux pieds ce qui ressemblait à des chaussures de coureur cycliste, noires soulignées d'un trait fluo rouge. Il était vêtu, à même la peau, d'un pet-en-l'air en flanelle et d'un short très court, à ras le sucre d'orge.

– Dis-moi, Simon, Elvire est enceinte, c'est de toi ?
– Oui.
– Je préfère ça, je préfère ça...

Daniel a claqué la portière et s'est éloigné sans m'en dire plus.

Les négociations ont duré moins d'une minute. Très vite, ils se sont mis à marcher d'un même pas. Ils ont disparu tous deux dans les escaliers qui menaient à la prairie.

À ce moment-là seulement s'est posée la question de mon courage, celle de ma lâcheté. Je ne connaissais pas ce gosse mais je doutais qu'il fût moins digne de vivre que Daniel. Bon Dieu, mais c'était à croire qu'on me refusait encore la moindre initiative. J'aurais pu en effet courir à son secours, empêcher une mort injuste.

Je sortais de la voiture quand le gosse a surgi de l'escalier. Il m'a rejoint à grands pas, affolé.

– Eh ! putain, vot' copain a eu un malaise, putain, il a pas l'air bien...

Sur quoi, il a détalé comme un lapin. J'ai pensé que je tenais enfin ma chance...

Deux réverbères encadraient le sommet de l'escalier. Daniel et le gosse n'avaient pas parcouru vingt mètres de l'allée étroite qui sillonnait la prairie. Daniel était couché sur le gravier, recroquevillé à moitié sur lui-même. Une main sur le ventre, il respirait péniblement. Son bras droit était tendu devant lui. Daniel avait dû trébucher, lâcher le couteau à cran d'arrêt que ses doigts essayaient maintenant, tâtonnant le sol, de reprendre. Le bruit de mes pas l'avait averti que j'étais là, à quelques mètres. Mon ombre couvrait entièrement sa silhouette.

– Simon...

Non un appel au secours mais une sorte de râle

pour me signifier qu'il n'en avait plus pour longtemps, à moins qu'il voulût que j'abrège ses souffrances...

Mais soudain il y eut un mouvement derrière moi, qui m'interdit dès lors toute pensée cohérente. Le mouvement d'un homme seul. Une ombre, plus épaisse, chevaucha bientôt la mienne. Sans oser me retourner, j'en détaillai les contours sur le sol.

À considérer la course du bras qui se détacha bientôt de l'ombre, je compris qu'une main allait se poser sur mon épaule. Mais lorsqu'elle se posa réellement sur moi, je frémis comme si elle m'avait pris par surprise.

Ses yeux brillaient d'une lueur intense, glacée. Une minute ou deux, ils me fouillèrent en profondeur, semblant me jauger. Puis, comme s'il avait deviné qu'il pouvait me faire confiance, il détourna le regard, qu'il dirigea sur Daniel. Il portait des gants, comme moi. Sa voix n'était qu'un murmure.

– Ne lui réponds pas.

– Jacky ?!

Comme un cri, un cri dont on ne pouvait rien attendre. Il me parut que tout son être se contractait et que s'il en avait encore eu la force, Daniel aurait fui, à condition bien sûr qu'on lui en ait laissé le temps.

L'homme n'était pas mécontent que le secret de son identité soit levé, il répéta même, pour confirmer les présentations :

– Jacky.

Je répondis, machinalement :

– Simon...

– Enchanté... Qu'est-ce qu'on fait ? On se le tire à pile ou face ?

– Je n'ai pas de pièce sur moi.

Ses lèvres esquissèrent un sourire.

– Moi non plus... Ce salaud a dessoudé mon ami, j'attends ce moment depuis des semaines...

Sa voix disait qu'il connaissait bien ce salaud, et pas de cette nuit. Je ne lui avouai pas que si j'avais été moins lâche, son ami serait peut-être encore en vie.

Mon silence, qui s'éternisait, fit que Jacky emporta la décision. En deux enjambées, il avait fondu sur Daniel. Il s'agenouilla, s'empara du couteau. Daniel produisit un horrible gargouillis lorsqu'il lui releva sèchement la tête en l'empoignant par les cheveux.

La tête de Daniel retomba dans le gravier. Qu'il prononce le moindre mot, qu'il crie et il se vidait de tout son sang, en un jet épais. L'entaille était profonde et la main qu'il serrait à sa gorge était déjà toute poisseuse. Jacky se redressa sans hâte. Il revint vers moi et me tendit le couteau. Il exprimait une volonté satisfaite, un calme serein, sa voix ne tremblait pas, il venait pourtant de commettre l'irréparable.

– Un homme est en vie tant que son cœur n'a pas cessé de battre. Tiens, il te reste quelques secondes.

Épilogue

Au lieu de notre meilleur souvenir commun... Je n'en voyais aucun, pour ma part.

J'ai compris, compris que Daniel avait souhaité qu'Elvire souffre d'une ultime humiliation, et que cela, à son gré, ne se pouvait sans témoin. Je n'avais tenu d'ailleurs que ce rôle et quand, ce soir-là, j'étais passé enfin aux actes, je ne l'avais pas regretté, j'y avais même gagné comme une tranquillité.

Jacky avait vu juste, je n'avais pas été inquiété, le meurtre de Daniel avait été versé au crédit de l'égorgeur, dont personne n'entendrait plus parler, mais cela, nous n'étions que deux à le savoir.

J'avais gardé le couteau, il traînait au fond de mon sac à dos, dans le coffre de la voiture. Si on l'avait découvert sur le lieu du crime, cela aurait soulevé certaines interrogations. Jacky m'avait donc conseillé de m'en débarrasser, plus tard. À l'inspecteur de police qui s'était chargé de ma déposition, j'avais déclaré que j'avais passé la nuit avec Elvire. Elvire avait confirmé, il était clair qu'elle me tenait, il avait semblé qu'elle me le faisait comprendre.

Elvire ne disait toujours rien mais ne grinçait plus des dents. Maître Douard lui avait demandé si elle consentait à récupérer les cendres de Daniel, son paquet de cendres, et elle ne lui avait pas répondu.

Il ne pleuvait plus. Elvire marchait avec une raideur de statue, comme si elle redoutait que la terre s'ouvre sous ses pieds, de s'effondrer d'un instant à l'autre. Je ne voulais pas la prendre par l'épaule, elle ne cherchait pas mon soutien, nous gardions entre nous une distance que je savais définitive.

Julia Rosso avait séché ses larmes, sa peine n'y paraissait plus. Après qu'elle eut ouvert la portière de sa voiture, elle se tourna vers nous. Elle se mit aussitôt à me détailler en silence. Son regard s'appesantit sur ma chevelure et il me sembla que mon visage lui disait vaguement quelque chose, ou qu'elle n'était pas sûre de me reconnaître. Si tel était le cas, je ne pouvais pas en dire autant, il m'était seulement permis de croire que c'était à cause d'elle que Daniel exigeait parfois que je mette ces foutues boules Quiès, grâce à elle qu'il avait connu un peu de joie.

Nous la dépassâmes sur le trottoir. Sa voiture avait débouché sur la chaussée alors qu'Elvire n'avait pas encore mis le contact. Ses doigts hésitaient et je me demandai si elle ne s'était pas trompée de clé. La voiture de Julia Rosso n'était déjà plus qu'un point trouble au bout de l'avenue.

– Trop tard pour l'avortement...

Un murmure, une sorte d'incantation inaudible. Sans croire que je pouvais la consoler, je posai enfin une main sur son genou.

– NE ME TOUCHE PAS, T'ENTENDS ?

– Ne me dis pas que...

– Tout cela est de ta faute, entièrement de ta faute, je ne veux plus te voir, n'oublie pas, cette nuit-là, nous n'étions pas ensemble...

J'ai souri piteusement. J'ai retiré ma main, je me suis retiré tout court. Je suis allé jusqu'au coffre. J'ai assujetti mon sac à mes épaules, je me suis éloigné sur le trottoir.

J'ai remarqué que mes mains tremblaient après avoir parcouru une centaine de mètres.

J'ai marché une partie de l'après-midi sans pouvoir me convaincre que c'était la bonne issue à cette sombre histoire. J'en suis venu à penser qu'Elvire ne pouvait pas s'en sortir à si bon compte, que je ne méritais peut-être pas cela, que j'avais envie de lui porter le coup fatal. Elvire devait savoir que Daniel s'était joué d'elle au cours de toutes ces années, qu'il n'était pas son frère, qu'il n'avait été que son geôlier. Maintenant, j'étais persuadé que Daniel ne m'avait pas fait toutes ces confidences dans le seul dessein de se soulager d'un poids, de ce secret.

J'ai regagné la rue Ozenne. La porte n'était pas fermée à clé. Je suis entré sans sonner, sans frapper. Les murs renvoyaient, on aurait dit, l'écho de ma voix. Elvire restait sourde à mes appels.

J'ai traversé les pièces du rez-de-chaussée sans l'y trouver. J'ai gravi ensuite lentement les marches qui menaient au premier étage. La porte de la salle de bains était grande ouverte.

Elvire était entièrement nue dans la baignoire, sa tête reposait près des robinets, son cou formait un angle improbable. Son regard fixe se portait quelque part au niveau de ses jambes, je n'en ai pas suivi le trajet incertain tout d'abord, j'ai simplement noté l'étrangeté de sa position et l'absence d'eau dans la baignoire.

Je me suis rendu à l'évidence, elle était morte, sans

me demander comment elle avait agi, je l'ai constaté, c'est tout. Et puis je me suis attaché une dernière fois à apprécier le grain de sa peau, la finesse de ses bras, à contempler son visage, ses épaules, ses seins, son ventre et...

Mon cœur s'est soulevé dans ma poitrine, une sueur froide s'est mise à dégouliner dans mon cou, j'ai retenu mon souffle. Une araignée, guère moins grosse que mon poing, agitait ses longues pattes velues dans sa toison pubienne, elle en avait la couleur, le soyeux, elle s'y confondait, elle semblait en sortir, on eût dit qu'Elvire venait de la mettre au monde.

Plus tard dans la soirée, je n'ai pas pu m'empêcher d'imaginer mon enfant en elle. Son cœur avait-il cessé de battre longtemps après celui de sa mère ?

Je m'obstinais à ne supposer que deux raisons à son geste : l'intolérable perspective de la pauvreté ou la non moins supportable idée de porter en elle un gosse conçu avec un type dans mon genre. Quoi qu'il en soit, elle était partie sans connaître la vérité, c'était peut-être mieux ainsi, bien que de mon côté je me sentisse un tant soit peu frustré. Pour elle comme pour moi, sans doute aussi pour Julia Rosso, demeurerait toujours une part d'ombre, chacun la sienne, comme une bouche béante, dans laquelle je ne chercherais pas à mettre les doigts.

Tant que j'ai eu de l'argent, j'ai vécu à l'hôtel. Au bout de quelques jours, j'ai envisagé de retourner à la rue, j'ai fini par ne plus croire qu'il y avait d'autres solutions. Pour me sentir encore un peu de ce monde, je suis allé chez le coiffeur et j'y ai dépensé mon dernier billet. J'ai passé une main sur mon crâne lisse et me suis jeté un petit clin d'œil dans la glace.

J'ai repris ma place, rue d'Alsace-Lorraine. Les copains de Treuil n'ont pas tardé à rappliquer mais, chose étrange, ils n'ont pas cherché à me créer d'ennuis. Quand j'ai compris pourquoi, il était trop tard.

Les flics, trois en civil, six en uniforme, m'ont cueilli en milieu de matinée. Cela faisait beaucoup pour un mec comme moi et je n'ai pas opposé de résistance. Lorsqu'ils ont vidé le contenu de mon sac sur le trottoir et ramené le couteau à cran d'arrêt à la lumière, je me suis mis à ricaner. J'ai pensé que Daniel, de son enfer, me jouait ce vilain tour.

Rivages / noir

Joan Aiken	*Mort un dimanche de pluie* (n° 11)
André Allemand	*Au cœur de l'île rouge* (n° 329)
	Un crime en Algérie (n° 384)
R. E. Alter	*Attractions : Meurtres* (n° 72)
Claude Amoz	*L'Ancien Crime* (n° 321)
	Bois-Brûlé (n° 423)
J. -B. Baronian	*Le Tueur fou* (n° 202)
Cesare Battisti	*Dernières cartouches* (n° 354)
William Bayer	*Labyrinthe de miroirs* (n° 281)
Marc Behm	*La Reine de la nuit* (n° 135)
	Trouille (n° 163)
	À côté de la plaque (n° 188)
	Et ne cherche pas à savoir (n° 235)
	Crabe (n° 275)
	Tout un roman ! (n° 327)
T. Benacquista	*Les Morsures de l'aube* (n° 143)
	La Machine à broyer les petites filles (n° 169)
Bruce Benderson	*Toxico* (n° 306)
A.-H. Benotman	*Les Forcenés* (n° 362)
Stéphanie Benson	*Un meurtre de corbeaux* (n° 326)
	Le Dossier Lazare (n° 390)
Pieke Biermann	*Potsdamer Platz* (n° 131)
	Violetta (n° 160)
	Battements de cœur (n° 248)
James C. Blake	*L'Homme aux pistolets* (n° 432)
Michael Blodgett	*Captain Blood* (n° 185)
Michel Boujut	*Souffler n'est pas jouer* (n° 349)
Daniel Brajkovic	*Chiens féroces* (n° 307)
Wolfgang Brenner	*Welcome Ossi !* (n° 308)
Paul Buck	*Les Tueurs de la lune de miel* (n° 175)
Yves Buin	*Kapitza* (n° 320)
	Borggi (n° 373)

Edward Bunker	*Aucune bête aussi féroce* (n° 127) *La Bête contre les murs* (n° 174) *La Bête au ventre* (n° 225) *Les Hommes de proie* (n° 344)
James Lee Burke	*Prisonniers du ciel* (n° 132) *Black Cherry Blues* (n° 159) *Une saison pour la peur* (n° 238) *Le Bagnard* (n° 272) *Une tache sur l'éternité* (n° 293) *Dans la brume électrique avec les morts confédérés* (n° 314) *La Pluie de néon* (n° 339) *Dixie City* (n° 371) *Le Brasier de l'ange* (n° 420)
W. R. Burnett	*Romelle* (n° 36) *King Cole* (n° 56) *Fin de parcours* (n° 60)
J.-J. Busino	*Un café, une cigarette* (n° 172) *Dieu a tort* (n° 236) *Le Bal des capons* (n° 278) *La Dette du diable* (n° 311) *Le Théorème de l'autre* (n° 358)
Daniel Chavarría	*Adios muchachos* (n° 123) *Un thé en Amazonie* (n° 302) *L'Œil de Cybèle* (n° 378)
D.Chavarría/J.Vasco	*Boomerang* (n° 322)
George Chesbro	*Une affaire de sorciers* (n° 95) *L'Ombre d'un homme brisé* (n° 147) *Bone* (n° 164) *La Cité où les pierres murmurent* (n° 184) *Les Cantiques de l'Archange* (n° 251) *Les Bêtes du Walhalla* (n° 252) *L'Odeur froide de la pierre sacrée* (n° 291) *Le Second Cavalier de l'Apocalypse* (n° 336) *Le Langage des cannibales* (n° 368) *Veil* (n° 369) *Crying Freeman* (n° 403) *Le Chapiteau de la peur aux dents longues* (n° 411) *Chant funèbre en rouge majeur* (n° 439)

Andrew Coburn	*Toutes peines confondues* (n° 129) *Sans retour* (n° 448)
Piero Colaprico	*Kriminalbar* (n° 416)
Michael Collins	*L'Égorgeur* (n° 148) *Rosa la Rouge* (n° 267)
Robin Cook	*Cauchemar dans la rue* (n° 64) *J'étais Dora Suarez* (n° 116) *Vices privés, vertus publiques* (n° 166) *La Rue obscène* (n° 200) *Quand se lève le brouillard rouge* (n° 231) *Le Mort à vif* (n° 241) *Bombe surprise* (n° 260) *Mémoire vive* (n° 374)
Peter Corris	*La Plage vide* (n° 46) *Des morts dans l'âme* (n° 57) *Chair blanche* (n° 65) *Le Garçon merveilleux* (n° 80) *Héroïne Annie* (n° 102) *Escorte pour une mort douce* (n° 111) *Le Fils perdu* (n° 128) *Le Camp des vainqueurs* (n° 176) *Le Grand Plongeon* (n° 394)
Hélène Couturier	*Fils de femme* (n° 233) *Sarah* (n° 341)
James Crumley	*Putes* (n° 92)
Mildred Davis	*Dark Place* (n° 10)
J.-P. Demure	*Milac* (n° 240) *Fin de chasse* (n° 289) *Les Jours défaits* (n° 351) *Noir Rivage* (n° 429)
J.-C. Derey	*Black Cendrillon* (n° 323) *Toubab or not toubab* (n° 379)
Pascal Dessaint	*La vie n'est pas une punition* (n° 224) *Bouche d'ombre* (n° 255) *À trop courber l'échine* (n° 280) *Du bruit sous le silence* (n° 312) *Une pieuvre dans la tête* (n° 363) *On y va tout droit* (n° 382)

T.Disch/J.Sladek	*Black Alice* (n° 154)
Wessel Ebersohn	*La Nuit divisée* (n° 153)
	Coin perdu pour mourir (n° 193)
	Le Cercle fermé (n° 249)
Stanley Ellin	*La Corrida des pendus* (n° 14)
James Ellroy	*Lune sanglante* (n° 27)
	À cause de la nuit (n° 31)
	La Colline aux suicidés (n° 40)
	Brown's Requiem (n° 54)
	Clandestin (n° 97)
	Le Dahlia noir (n° 100)
	Un tueur sur la route (n° 109)
	Le Grand Nulle Part (n° 112)
	L.A. Confidential (n° 120)
	White Jazz (n° 141)
	Dick Contino's Blues (n° 212)
	American Tabloid (n° 282)
	Ma part d'ombre (n° 319)
	Crimes en série (n° 388)
Howard Fast	*Sylvia* (n° 85)
	L'Ange déchu (n° 106)
Kinky Friedman	*Meurtre à Greenwich Village* (n° 62)
	Quand le chat n'est pas là (n° 108)
	Meurtres au Lone Star Café (n° 151)
	Le Vieux Coup de la sauterelle (n° 197)
	Elvis, Jésus et Coca-Cola (n° 264)
	Dieu bénisse John Wayne (n° 348)
	N le Maudit (n° 385)
Samuel Fuller	*L'Inexorable Enquête* (n° 190)
	La Grande Mêlée (n° 230)
Barry Gifford	*Port Tropique* (n° 68)
	Sailor et Lula (n° 107)
	Perdita Durango (n° 140)
	Jour de chance pour Sailor (n° 210)
	Rude journée pour l'Homme Léopard (n° 253)
	La Légende de Marble Lesson (n° 387)
A. Gimenez Bartlett	*Rites de mort* (n° 352)
	Le Jour des chiens (n° 421)

David Goodis	*La Blonde au coin de la rue* (n° 9) *Beauté bleue* (n° 37) *Rue Barbare* (n° 66) *Retour à la vie* (n° 67) *Obsession* (n° 75)
James Grady	*Le Fleuve des ténèbres* (n° 180) *Tonnerre* (n° 254) *Steeltown* (n° 353) *Comme une flamme blanche* (n° 445)
R. H. Greenan	*Sombres crapules* (n° 138) *La Vie secrète d'Algernon Pendleton* (n° 156) *C'est arrivé à Boston ?* (n° 205) *La Nuit du jugement dernier* (n° 237) *Un cœur en or massif* (n° 262)
Salah Guemriche	*L'Homme de la première phrase* (n° 357)
Wolf Haas	*Vienne la mort* (n° 417)
Joseph Hansen	*Par qui la mort arrive* (n° 4) *Le petit chien riait* (n° 44) *Un pied dans la tombe* (n° 49) *Obédience* (n° 70) *Le Noyé d'Arena Blanca* (n° 76) *Pente douce* (n° 79) *Le Garçon enterré ce matin* (n° 104) *Un pays de vieux* (n° 155) *Le Livre de Bohannon* (n° 214) *En haut des marches* (n° 342)
John Harvey	*Cœurs solitaires* (n° 144) *Les Étrangers dans la maison* (n° 201) *Scalpel* (n° 228) *Off Minor* (n° 261) *Les Années perdues* (n° 299) *Lumière froide* (n° 337) *Preuve vivante* (n° 360) *Proie facile* (n° 409)
Vicki Hendricks	*Miami Purity* (n° 304)
George V. Higgins	*Les Copains d'Eddie Coyle* (n° 114) *Le Contrat Mandeville* (n° 191) *Le Rat en flammes* (n° 243) *Paris risqués* (n° 287)

Tony Hillerman	*Là où dansent les morts* (n° 6) *Le Vent sombre* (n° 16) *La Voie du fantôme* (n° 35) *Femme-qui-écoute* (n° 61) *Porteurs-de-peau* (n° 96) *La Voie de l'Ennemi* (n° 98) *Le Voleur de temps* (n° 110) *La Mouche sur le mur* (n° 113) *Dieu-qui-parle* (n° 122) *Coyote attend* (n° 134) *Le Grand Vol de la banque de Taos* (n° 145) *Les Clowns sacrés* (n° 244) *Moon* (n° 292) *Un homme est tombé* (n° 350) *Le Premier Aigle* (n° 404) *Blaireau se cache* (n° 442)
Chester Himes	*Qu'on lui jette la première pierre* (n° 88)
Dolores Hitchens	*La Victime expiatoire* (n° 89)
Craig Holden	*Les Quatre coins de la nuit* (n° 447)
Geoffrey Homes	*Pendez-moi haut et court* (n° 93) *La Rue de la femme qui pleure* (n° 94)
D. B. Hughes	*Et tournent les chevaux de bois* (n° 189) *Chute libre* (n° 211)
William Irish	*Manhattan Love Song* (n° 15) *Valse dans les ténèbres* (n° 50)
Eugene Izzi	*Chicago en flammes* (n° 441) *Le Criminaliste* (n° 456)
Bill James	*Retour après la nuit* (n° 310) *Lolita Man* (n° 355) *Raid sur la ville* (n° 440)
Stuart Kaminsky	*Il est minuit, Charlie Chaplin* (n° 451)
Thomas Kelly	*Le Ventre de New York* (n° 396)
W.Kotzwinkle	*Midnight Examiner* (n° 118) *Le Jeu des Trente* (n° 301) *Book of Love* (n° 332)
Terrill Lankford	*Shooters* (n° 372)

Michael Larsen	*Incertitude* (n° 397) *Le Serpent de Sydney* (n° 455)
Jonathan Latimer	*Gardénia rouge* (n° 3) *Noir comme un souvenir* (n° 20)
Michel Lebrun	*Autoroute* (n° 165) *Le Géant* (n° 245)
Cornelius Lehane	*Prends garde au buveur solitaire* (n° 431)
Dennis Lehane	*Un dernier verre avant la guerre* (n° 380) *Ténèbres, prenez-moi la main* (n° 424)
C. Lehmann	*Un monde sans crime* (n° 316) *La Folie Kennaway* (n° 406) *Une question de confiance* (n° 446)
Elmore Leonard	*Zig Zag Movie* (n° 220) *Maximum Bob* (n° 234) *Punch Créole* (n° 294) *Pronto* (n° 367) *Les Chasseurs de primes* (n° 391) *Beyrouth Miami* (n° 412) *Loin des yeux* (n° 436) *Le Zoulou de l'Ouest* (n° 437)
Bob Leuci	*Captain Butterfly* (n° 149) *Odessa Beach* (n° 290)
Ted Lewis	*Get Carter* (n° 119) *Sévices* (n° 152) *Jack Carter et la loi* (n° 232) *Plender* (n° 258) *Billy Rags* (n° 426)
Richard Lortz	*Les Enfants de Dracula* (n° 146) *Deuil après deuil* (n° 182) *L'Amour mort ou vif* (n° 206)
J. D. Mac Donald	*Réponse mortelle* (n° 21) *Un temps pour mourir* (n° 29) *Un cadavre dans ses rêves* (n° 45) *Le Combat pour l'île* (n° 51) *L'Héritage de la haine* (n° 74)
J.-P. Manchette	*La Princesse du sang* (n° 324)

D. Manotti	*À nos chevaux !* (n° 330) *Kop* (n° 383)
John P. Marquand	*Merci Mr Moto* (n° 7) *Bien joué, Mr Moto* (n° 8) *Mr Moto est désolé* (n° 18) *Rira bien, Mr Moto* (n° 87)
R. Matheson	*Échos* (n° 217)
Ed McBain	*Leçons de conduite* (n° 413)
Helen McCloy	*La Somnambule* (n° 105)
W.McIlvanney	*Les Papiers de Tony Veitch* (n° 23) *Laidlaw* (n° 24) *Big Man* (n° 90) *Étranges Loyautés* (n° 139)
Marc Menonville	*Jeux de paumes* (n° 222) *Walkyrie vendredi* (n° 250) *Dies Irae en rouge* (n° 279)
Ronald Munson	*Courrier de fan* (n° 226)
Tobie Nathan	*Saraka bô* (n° 186) *Dieu-Dope* (n° 271)
Jim Nisbet	*Les damnés ne meurent jamais* (n° 84) *Injection mortelle* (n° 103) *Le Démon dans ma tête* (n° 137) *Le Chien d'Ulysse* (n° 161) *Sous le signe du rasoir* (n° 273) *Prélude à un cri* (n° 399)
K. Nishimura	*Petits crimes japonais* (n° 218)
Jack O'Connell	*B.P. 9* (n° 209) *Porno Palace* (n° 376) *Et le verbe s'est fait chair* (n° 454)
Liam O'Flaherty	*L'Assassin* (n° 247)
Renato Olivieri	*L'Affaire Kodra* (n° 402) *Fichu 15 août* (n° 443)
J.-H. Oppel	*Brocéliande-sur-Marne* (n° 183) *Ambernave* (n° 204) *Six-Pack* (n° 246) *Ténèbre* (n° 285) *Cartago* (n° 346) *Chaton :* Trilogie (n° 418)

Abigail Padgett	*L'Enfant du silence* (n° 207) *Le Visage de paille* (n° 265) *Oiseau de Lune* (n° 334) *Poupées brisées* (n° 435)
Hugues Pagan	*Les Eaux mortes* (n° 17) *La Mort dans une voiture solitaire* (n° 133) *L'Étage des morts* (n° 179) *Boulevard des allongés* (n° 216) *Last Affair* (n° 270) *L'Eau du bocal* (n° 295) *Vaines Recherches* (n° 338) *Dernière station avant l'autoroute* (n° 356) *Tarif de groupe* (n° 401) *Je suis un soir d'été* (n° 453)
Pierre Pelot	*Natural Killer* (n° 343) *Le Méchant qui danse* (n° 370) *Si loin de Caïn* (n° 430)
Anne Perry	*Un plat qui se mange froid* (n° 425)
A. G. Pinketts	*Le Sens de la formule* (n° 288) *Le Vice de l'agneau* (n° 408)
Bill Pronzini	*Hidden Valley* (n° 48)
B. Pronzini/B. N. Malzberg	*La nuit hurle* (n° 78)
Michel Quint	*Billard à l'étage* (n° 162) *La Belle Ombre* (n° 215) *Le Bélier noir* (n° 263) *L'Éternité sans faute* (n° 359) *À l'encre rouge* (n° 427)
Hugh Rae	*Skinner* (n° 407)
Diana Ramsay	*Approche des ténèbres* (n° 25) *Est-ce un meurtre ?* (n° 38)
John Ridley	*Ici commence l'enfer* (n° 405)
Louis Sanders	*Février* (n° 315) *Comme des hommes* (n° 366) *Passe-temps pour les âmes ignobles* (n° 449)
Budd Schulberg	*Sur les quais* (n° 335)
Philippe Setbon	*Fou-de-coudre* (n° 187) *Desolata* (n° 219)

Roger Simon	*Le Clown blanc* (n° 71) *Génération Armageddon* (n° 199) *La Côte perdue* (n° 305)
Pierre Siniac	*Les mal lunés* (n° 208) *Sous l'aile noire des rapaces* (n° 223) *Démago Story* (n° 242) *Le Tourbillon* (n° 256) *Femmes blafardes* (n° 274) *L'Orchestre d'acier* (n° 303) *Luj Inferman' et La Cloducque* (n° 325) *De l'horrifique chez les tarés* (n° 364) *Bon cauchemar les petits...* (n° 389) *Ferdinaud Céline* (n° 419)
Neville Smith	*Gumshoe* (n° 377)
Les Standiford	*Pandémonium* (n° 136) *Johnny Deal* (n° 259) *Johnny Deal dans la tourmente* (n° 328) *Une rose pour Johnny Deal* (n° 345)
Richard Stark	*La Demoiselle* (n° 41) *La Dame* (n° 170) *Comeback* (n° 415)
Richard Stratton	*L'Idole des camés* (n° 257)
Vidar Svensson	*Retour à L.A.* (n° 181)
Paco I. Taibo II	*Ombre de l'ombre* (n° 124) *La Vie même* (n° 142) *Cosa fácil* (n° 173) *Quelques nuages* (n° 198) *À quatre mains* (n° 227) *Pas de fin heureuse* (n° 268) *Même ville sous la pluie* (n° 297) *La Bicyclette de Léonard* (n° 298) *Jours de combat* (n° 361) *Rêves de frontière* (n° 438)
Ross Thomas	*Les Faisans des îles* (n° 125) *La Quatrième Durango* (n° 171) *Crépuscule chez Mac* (n° 276) *Traîtrise !* (n° 317) *Voodoo, Ltd* (n° 318)

Thompson	*L'Échelle des anges* (n° 395)
Thompson	*Liberté sous condition* (n° 1)
	Un nid de crotales (n° 12)
	Sang mêlé (n° 22)
	Nuit de fureur (n° 32)
	À deux pas du ciel (n° 39)
	Rage noire (n° 47)
	La mort viendra, petite (n° 52)
	Les Alcooliques (n° 55)
	Les Arnaqueurs (n° 58)
	Vaurien (n° 63)
	Une combine en or (n° 77)
	Le Texas par la queue (n° 83)
	Écrits perdus (1929-1967) (n° 158)
	Le Criminel (n° 167)
	Après nous le grabuge (Écrits perdus, (1968-1977) (n° 177)
	Hallali (n° 195)
	L'Homme de fer (n° 196)
	Ici et maintenant (n° 229)
	Avant l'orage (n° 300)
Masako Togawa	*Le Baiser de feu* (n° 91)
Suso De Toro	*Land Rover* (n° 386)
Armitage Trail	*Scarface* (n° 126)
Marc Villard	*Démons ordinaires* (n° 130)
	La Vie d'artiste (n° 150)
	Dans les rayons de la mort (n° 178)
	Rouge est ma couleur (n° 239)
	Cœur sombre (n° 283)
	Du béton dans la tête (n° 284)
	Made in Taïwan (n° 333)
John Wessel	*Le Point limite* (n° 428)
Donald Westlake	*Drôles de frères* (n° 19)
	Levine (n° 26)
	Un jumeau singulier (n° 168)
	Ordo (n° 221)
	Aztèques dansants (n° 266)
	Kahawa (n° 277)
	Faites-moi confiance (n° 309)

Trop humains (n° 340)
Histoire d'os (n° 347)
Le Couperet (n° 375)
Smoke (n° 400)
361 (n° 414)
Moi, mentir ? (n° 422)

J. Van De Wetering *Comme un rat mort* (n° 5)
Sale Temps (n° 30)
L'Autre Fils de Dieu (n° 33)
Le Babouin blond (n° 34)
Inspecteur Saito (n° 42)
Le Massacre du Maine (n° 43)
Un vautour dans la ville (n° 53)
Mort d'un colporteur (n° 59)
Le Chat du sergent (n° 69)
Cash-cash millions (n° 81)
Le Chasseur de papillons (n° 101)
Retour au Maine (n° 286)
Le Papou d'Amsterdam (n° 313)
Maria de Curaçao (n° 331)
L'Ange au regard vide (n° 410)
Mangrove Mama (n° 452)

Harry Whittington *Des feux qui détruisent* (n° 13)
Le diable a des ailes (n° 28)

Charles Willeford *Une fille facile* (n° 86)
Hérésie (n° 99)
Miami Blues (n° 115)
Une seconde chance pour les morts (n° 123)
Dérapages (n° 192)
Ainsi va la mort (n° 213)
Les Grands Prêtres de Californie (n° 365)
La Messe noire du frère Springer (n° 392)
L'Île flottante infestée de requins (n°393)

Charles Williams *La Fille des collines* (n° 2)
Go Home, Stranger (n° 73)
Et la mer profonde et bleue (n° 82)

John Williams *Gueule de bois* (n° 444)

Timothy Williams *Le Montreur d'ombres* (n° 157)
Persona non grata (n° 203)

Colin Wilson *Le Tueur* (n° 398)
L'Assassin aux deux visages (n° 450)

Woodrell *Sous la lumière cruelle* (n° 117)
Battement d'aile (n° 121)
Les Ombres du passé (n° 194)
Faites-nous la bise (n° 296)
La Fille aux cheveux rouge tomate (n° 381)
La Mort du petit cœur (n° 433)
Chevauchée avec le diable (n° 434)

Rivages / Mystère

C. Armstrong	*Le Jour des Parques* (n° 13)
	L'Inconnu aux yeux noirs (n° 15)
	Une dose de poison (n° 21)
	Merci pour le chocolat (n° 40)
Francis Beeding	*La Maison du Dr Edwardes* (n° 9)
	La mort qui rôde (n° 12)
	Un dîner d'anniversaire (n° 18)
A. Blackwood	*John Silence* (n° 8)
F. du Boisgobey	*Le Coup d'œil de M. Piédouche* (n° 32)
Jypé Carraud	*Tim-Tim Bois-Sec* (n° 22)
	Le Squelette cuit (n° 25)
	Les Poulets du Cristobal (n° 31)
Collectif	*La Griffe du chat* (n° 28)
Max Allan Collins	*Les Meurtres du* Titanic (n° 43)
Joseph Commings	*Les Meurtres de l'épouvantail* et autres histoires (n° 46)
	Le Vampire au masque de fer et autres histoires (n° 47)
F. W. Crofts	*Le Tonneau* (n° 24)
Amanda Cross	*En dernière analyse* (n° 23)
	Insidieusement vôtre (n° 26)
	Justice poétique (n° 27)
	Une mort si douce (n° 30)
	Sur les pas de Smiley (n° 35)
	Le Complexe d'Antigone (n° 39)
Mildred Davis	*Crime et chuchotements* (n° 14)
	Passé décomposé (n° 16)
	Un homme est mort (n° 20)
	Mort de quelqu'un (n° 37)
Michael Dibdin	*L'Ultime Défi de Sherlock Holmes* (n° 17)
Peter Dickinson	*Retour chez les vivants* (n° 44)
John Dickson Carr	*En dépit du tonnerre* (n° 5)
Jacques Futrelle	*Treize enquêtes de la machine à penser* (n° 29)
Parnell Hall	*Mystère* (n° 48)

D. Hoch — *Les Chambres closes du Dr Hawthorne* (n° 34)
tzwinkle — *Fata Morgana* (n° 2)
exis Lecaye — *Einstein et Sherlock Holmes* (n° 19)
ohn P. Marquand — *À votre tour, Mister Moto* (n° 4)
Kai Meyer — *La Conjuration des visionnaires* (n° 33)
Thomas Owen — *L'Initiation à la peur* (n° 36)
D. Salisbury Davis — *Au bout des rues obscures* (n° 41)
Pierre Siniac — *Le Mystère de la sombre zone* (n° 42)
Anthony Shaffer — *Absolution* (n° 10)
J. Storer-Clouston — *La Mémorable et Tragique Aventure de Mr Irwin Molyneux* (n° 11)
Rex Stout — *Le Secret de la bande élastique* (n° 1)
La Cassette rouge (n° 3)
Meurtre au vestiaire (n° 6)
Hake Talbot — *Au seuil de l'abîme* (n° 38)
Josephine Tey — *Le plus beau des anges* (n° 7)
J.-M. Villemot — *Abel Brigand* (n° 45)

Achevé d'imprimer sur rotative
par l'imprimerie Darantiere à Dijon-Quetigny
en décembre 2002

3e édition

Dépôt légal : 3e trimestre 1996
N° d'impression : 22-1499

Imprimé en France